«Estás a un paso de
cruzar el umbral hacia
un lugar sagrado:

tu interior.

Este viaje hacia las profundidades
de tu SER es necesario para que te
descubras, te conozcas y puedas dejar
ir el miedo a brillar con luz propia, a
ser libre y soberana de tu vida.

¡Libérate, exprésate, enamórate de ti!

La relación que tienes contigo es la
base de todas las demás. Comienza a
cultivarla desde hoy».

—Yesenia Rodríguez González,
autora ArboreSer™

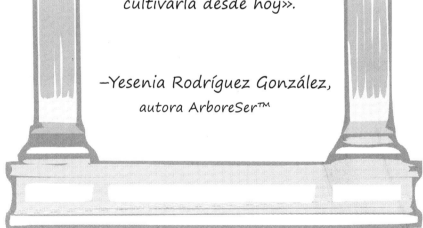

***ArboreSer*™**. *Copyright* © Yesenia Rodríguez González, 2021

Todos los derechos reservados. San Juan, Puerto Rico.

ISBN: 978-0-578-36920-4

Página web: www.a-sanas.com

Correo electrónico: yesenia.asanas@gmail.com

Mentora en autopublicación: Anita Paniagua
www.anitapaniagua.com

Edición y corrección: Mariangely Núñez Fidalgo
arbola.editores@gmail.com

Arte de portada e interiores: Madian Porrata-Doria
www.madianporratadoria.com

Diseño y maquetación: Yesenia Rodríguez González,
con la colaboración de Carlos R. Rodríguez Figueroa

Fotografía contraportada de la autora: José Raúl Figueroa
minacionespr@gmail.com

Fotografía interior de la autora: Ricardo Salek
ricardo.salek@gmail.com

ArboreSer™

Explórate para sanar y
Ser la Arquitecta de tu Vida

Yesenia Rodríguez González

Dedicatoria

A:

...mis abuelas, mi madre y a todas las ancestras de mi linaje femenino: las honro; por lo que ellas no pudieron expresar y manifestar en sus vidas.

...mis abuelos, mi padre y a todos los ancestros de mi linaje masculino: los honro; por lo que de ellos se esperaba y no lograron cumplir.

...M. quien un día me dijo: «Tienes que escribir un libro»: aquí está, quizás evolucionado y diferente a lo imaginado.

...los amores correspondidos y los no correspondidos; por obligarme a mirarme y sanarme.

...todos los maestros que encontré en mi camino, quienes llegaron cuando más lo necesitaba y se retiraron cuando la lección ya estaba aprendida.

...mi SER, por escoger aportar a la sanación de mi árbol familiar, al develar información ancestral y trascenderla para mí y para todo el transgeneracional.

...todos los seres que se han cruzado en mi camino y me han servido de espejo: de mi luz y de mi sombra.

...todas las Elenas que han procurado el empoderamiento para ellas y para otras desde la libertad de quienes eligen SER.

...Dios Padre y Madre, la Fuente Creadora.

Contenido

Contenido

Agradecimientos

Este libro está impregnado de mucho amor. De mi amor hacia ti, lector, y del amor de todos los seres que han colaborado en sacarlo a la luz.

Gracias, a mi amigo y colega arquitecto Carlos Rodríguez, a quien primero le hablé sobre el concepto y mi visión del libro, y quien desde el día uno me apoyó en el proceso.

Gracias, a mi amiga y colega arquitecta Madian Porrata-Doria, la ilustradora de los espectaculares dibujos que visten de gala este libro, quien como artista plástica impregna sus pinturas de energía sanadora. Cuando le hablé a ella del concepto del libro y lo que imaginaba, sin titubear me dijo que sí y estuvo en alineación perfecta con el concepto y tema del libro.

Gracias, a mi amiga y mentora Toastmasters Marinés Rivera, por ser la lectora del manuscrito, por disfrutarse el proceso conmigo, por su guía experta.

Gracias, a los clubes Toastmasters, compañeros y mentores, por ser el espacio seguro para comenzar a compartir historias y expresarme ante un público receptivo, sanador y alentador.

Gracias, a Anita Paniagua como mi mentora en auto publicación por su acompañamiento experto y guía durante el proceso de escritura y a Mariangely mi editora estrella por hacer del proceso uno de validación y escucha solidaria.

Gracias, a la Vida por darme la oportunidad de crear y manifestar este proyecto.

Prólogo

«Existen millones de libros publicados, pero el de Yesenia es peculiar. La combinación de novela, ejercicios de autoayuda e imágenes, además de hermosa, es efectiva. Me identifiqué, en ocasiones, con la protagonista Elena. 'Quiero ser como ella cuando sea grande', me dije. Y los ejercicios me mostraron un camino claro que puede apoyarme a transformar y estar en paz. Los dibujos me transportaron a nuevos lugares, casi tanto como las palabras. En un mar de libros, este era el que necesitaba en este momento para ArboreSer...»

–Marinés Rivera, escritora, coach & mentora de liderazgo y vida

"Como es adentro es afuera"

"Cuando se desencadene una tormenta en tu interior, baja de las ramas de los árboles y busca la seguridad del tronco. Tus raíces comienzan en tu abdomen, ligeramente por debajo del ombligo, en el punto de energía que en la medicina china se conoce como tan tien. Concentra toda tu atención en esa parte del vientre y respira profundamente. No pienses en nada y estarás a salvo mientras se desencadena la tormenta de emociones. Practica este ejercicio cada día durante cinco minutos y al cabo de tres semanas podrás dominar tus emociones con éxito cuando éstas se desaten. " - Thich Nhat Hanh, monje budista zen escritor y activista por la paz vietnamita

Si observas con atención, te darás cuenta de que la Naturaleza nos enseña continuamente. Es un taller gratuito que nunca cesa. En ella están las respuestas a tantas preguntas existenciales que nos hacemos constantemente. **De ahí, que me parezca tan apropiado como fascinante, el que la autora de este libro haya escogido un árbol como eje central dentro de la búsqueda de mayor balance y estabilidad emocional, espiritual y física.**

La **Madre Naturaleza** es la manifestación de la segunda de las Siete Leyes Universales o Principios Herméticos: la Ley de Correspondencia. Esta ley nos recuerda que como es adentro es afuera, *como es afuera es adentro; como es arriba es abajo; como es abajo es arriba.* Todo lo grande que nos rodea, lo macro, tiene una correspondencia en lo pequeño, en lo micro, en lo interior. No es casualidad que el diseño de nuestro sistema solar, ese majestuoso sol rodeado de planetas y sus lunas, sea similar al del átomo, con la fuerza de ese núcleo central dándole cohesión a los electrones que lo rodean. Los patrones en la Naturaleza son universales y los podemos ver repetirse constantemente. Como es adentro, es afuera.

Esta es una de las razones por las cuales el observar la Naturaleza y sus procesos, se puede convertir en una fuente constante, no solo de inspiración, sino de fortaleza. Hay un Orden Divino en todo tanto afuera como adentro. A veces, sin embargo, sostener ese orden internamente requiere esfuerzo. Pero, a mayor autoconocimiento, mayor capacidad para caer en tiempo y volver al balance después de que los vientos huracanados y las bofetadas cósmicas nos dejen temporeramente deshojados, desramados o hasta destroncados.

Quisiera para todas las personas esa capacidad que tiene la Naturaleza de saberse eterna; de reconocer que es parte de un Todo y bendecir esa interdependencia; de renovarse y sanar después de los golpes y las heridas. **El potencial de ser árbol lo tenemos todos. Gracias, Yesenia, por regalarnos ArboreSer para recordárnoslos.**

- Lily García, autora, comunicadora y coach de vida

De la raíz a la semilla

Hace unos cinco años, una tarde caminaba por el Jardín Botánico de Río Piedras con la intención de despejar la mente a través de la contemplación y conexión con la naturaleza. Según me adentraba al jardín, comencé a saludar a los árboles que encontraba a mi paso, es una costumbre que tengo de saludar y pedir que me regalen de su energía sanadora. Mientras caminaba y contemplaba, recordaba algo que había leído en un artículo... decía que *los árboles son seres más evolucionados que los humanos.* Estoy convencida de que es así. Cuando nos detenemos ante ellos a admirarlos, podemos escuchar sus mensajes y su sabiduría. Me senté en un banco del jardín debajo de los árboles y algunas reflexiones llegaron a mí:

¿Qué se sentirá ser un árbol?

¿Cómo se sentirá tener raíces tan profundas que te sepas totalmente sostenido, nutrido, estable?

¡Qué ricura será sentir el agua de lluvia caer y correr por tantas partes, rápido, lento, suave, fuerte!

¡Qué maravilla poder recibir tanta luz y fuerza vital a través del sol radiante!

¡Cuánta capacidad de oxigenación se podrá tener con tantas hojas respirando a la vez!

¡Qué privilegio ser el anfitrión del canto de las aves!

¡Qué deleite y éxtasis sentirá cuando la brisa acaricia cada rincón de su existencia!

¡Qué privilegio sensual el poder exhibir exuberantes y fragantes floraciones!

¿Cómo se sentirá contemplar desde tan alto?... ¡de seguro, la mejor vista!

Si pudieras convertirte en un árbol por un día, ¿cuál te gustaría ser?, ¿una ceiba, un flamboyán, un roble, un guayacán, un pino, un ilán ilán...?, ¿o uno de esos que llaman árboles campeones porque son los más grandes y antiguos de su especie?

Justo en esos días de mi paseo por el Jardín Botánico leí un «post» en Facebook con una reflexión maravillosa que, a mi entender, daba la definición perfecta del proceso interno de sanación: arborecer. Quedé fascinada con esta palabra. Significa crecer y desarrollarse hasta llegar a ser árbol. Habla de un proceso de transformación o manifestación de cambio de un estado a otro. De esta palabra surgió la inspiración de nombrar este libro **ArboreSer**, que significa el proceso de transformación interna a través de la manifestación de nuestra sombra para descubrirla, reconocerla, sanarla e integrarla en luz a la esencia de nuestro Ser. Al ArboreSer, generas un cambio de un estado de desconexión interna a uno de paz y plenitud.

> *«Si tu búsqueda en la vida es convertirte en un ser espiritual, en un ser divino e iluminado, solo hay un ser al que debes tomar como ejemplo para lograrlo: el árbol...».*

> *— Matías de Stefano, educador sobre la consciencia planetaria*

A través de este libro, haremos un viaje de autoconocimiento desde la analogía de un árbol y sus partes, desde la raíz hasta la semilla y el entorno que lo rodea. En cada capítulo, te llevaré en un recorrido por su estructura para que comprendas el valor de cada parte y su propósito, y te mostraré un proceso de transformación al guiarte por las nueve áreas de empoderamiento que he definido y trabajado en mi práctica holística de sanación. Cada capítulo consta de cinco partes:

1. Viñetas en la vida de Elena
2. Herramientas de sanación
3. Reto de autoconocimiento
4. Exploración de un área de vida
5. Una oportunidad de transformación

Elena es el personaje principal de las historias a lo largo

del libro. A través de sus vivencias, te ilustro lo que es posible para ti. Elena es un nombre cuyo significado es «antorcha, brillante, resplandeciente». En sus diferentes facetas, ella es todas nosotras. Eres tú y soy yo. Elena viene a regalarte el reto de mirar en tu interior y darte la oportunidad de transformar aquello para lo cual estés lista para mirar y trascender.

La concepción, gestación y parto de este libro ha sido desde el amor y por amor, con la intención de compartir contigo tantas experiencias y desafíos en mi camino personal y profesional. De todo corazón deseo que la lectura de este libro sea una experiencia enriquecedora para tu vida, ya sea que conozcas de estos temas o que sean nuevos descubrimientos. Te presento herramientas para que sanes tu pasado, disfrutes tu presente y diseñes tu futuro.

Este libro está pensado en ti, que anhelas sentir propósito y alegría en todo lo que haces, para que descubras que sí es posible cualquier nivel de libertad que te propongas. **Si deseas sacarle el mayor provecho a la lectura, te invito a tener una libreta junto a ti donde vayas anotando las reflexiones de los retos y oportunidades que encontrarás en este libro.** Si lo prefieres, puedes utilizar el cuaderno de apoyo que he diseñado para que te acompañe. Descárgalo en: www.a-sanas.com/cuaderno

Mi invitación es a que te abras a la curiosidad de explorar las partes de ti no sanadas, las heridas ocultas que hasta ahora han regido tu vida de una manera inconsciente. Eres cocreadora de tu vida y solo tú puedes decidir trascender el dolor y conectar con la paz interna y el amor que te habitan.

«Sanar no significa que el daño no existió; significa que aquello que nos dañó ya no controla más nuestra vida».
– autor desconocido

Buen camino,
Yesenia Rodríguez González

ArboreSer

7

El Árbol Sabio

Se llora cuando se pela una cebolla, ¡a que sí!

Elena lloraba cuando pelaba cebollas y, cuando no, también. De niña le decían «la lloroncita» porque tenía las emociones a flor de piel. Era muy sensible. Esto la hacía muy vulnerable a los comportamientos de la gente que le rodeaba y a menudo se sentía incomprendida. Su mayor refugio era la lectura y trepar árboles: eran su espacio seguro, su lugar de escape. Sin embargo, la sensación de plenitud, paz y alegría que sentía trepada en el árbol era inconmesurable para Elena.

De adulta, su sensibilidad no cambió, solo que aprendió a llevar puesta una coraza. Le funcionó por un tiempo hasta que aprendió que tampoco era buena idea. En su vida adulta inició muchos procesos para sanar e integrar todas sus partes, las que le gustaban y las que no. Sin embargo, llegó un momento en que se sintió en un callejón sin salida. Había logrado mucha sanación, pero todavía tenía tropiezos difíciles. No entendía de dónde podía venir tanto dolor. Tal como aprendió en uno de esos talleres que le gustaba asistir, decidió meterse en lo profundo del **bosque** para buscar respuestas.

Al llegar, Elena se descalzó para sentir la tierra suelta y fresca al caminar. Al entrar, en silencio pidió permiso a los

8

guardianes del bosque. Sintió una brisa fresca y entendió que era la señal de que tenía el permiso y que era bienvenida. Otros días entraba al bosque anunciando su entrada con algarabía: «¡Hola, hola!».

Pero ese día se sentía hacia adentro y no quería causar mucho ruido, ya era suficiente con el que sentía en su interior. Prosiguió su caminar divagando por un rato, se dejó llevar por una sutil energía que la guiaba. Era casi casi como escuchar un susurro que le decía: «Ven, por aquí, acércate».

Dentro de la espesa vegetación se veía un claro de luz... y a la distancia lo vio: era el árbol más grande del bosque, el más viejo y, seguramente, el más sabio. Era necesario que Elena caminara un rato por el bosque, de manera que pudiera entrar en sintonía con su lenguaje que no es el mismo lenguaje del humano. Fue entonces cuando reconoció que era el árbol quien la llamaba y caminó hacia él. Mientras más se acercaba, podía escucharlo con mayor claridad.

Era mucho más grande de lo que había percibido. Le dio una vuelta hasta que encontró el lugar justo para sentarse. Sintió como si entre la tierra y las raíces hubiesen preparado el espacio perfecto para ella.

Se sentó y se recostó contra su tronco, puso sus manos en las raíces y miró hacia lo alto de sus ramas. Tuvo la sensación de haber llegado a la casa de un querido amigo.

—Gran sabio, ayúdame a entender... ya no puedo más con este dolor. Me he engañado tanto a mí misma que ya no sé —le dijo mientras se bebía sus propias lágrimas.

¿Alguna vez has llorado debajo de un árbol? No lo puedes hacer por mucho tiempo, el árbol no te va a dejar. Su energía sanadora va a balancear tu vibración para llevarte a un estado de armonía.

Con una firme y amorosa voz, el Árbol Sabio le dijo:

–Nosotros, los árboles, somos seres presentes, y ese es mi regalo para ti hoy y siempre. Somos la combinación perfecta entre estabilidad, crecimiento, movimiento y expansión. Somos seres benévolos e inofensivos. Los árboles no tememos a la quietud y tampoco a la turbulencia. Nuestra existencia es de puro servicio al suelo, a los microorganismos, a los animales, al ser humano, a la Vida. Elena, estás cambiando de un estado a otro, algo nuevo está en proceso de manifestarse, lo resistes o le abres camino.

Desde su presencia continuó hablándole. Elena se fue en un viaje a su interior a medida que el Árbol Sabio la remontaba a los momentos de encrucijadas en su vida, las decisiones correctas y las que en el momento parecían incorrectas. La guio hasta que ella misma pudo llegar a la raíz de su herida.

El Árbol Sabio le recordó a Elena el proceso que había vivido buscando conectar con sus raíces, con sus heridas de crecimiento que eran heridas sagradas porque de ellas habían surgido sus más grandes aprendizajes. Sus raíces le hablaban de dónde venía, sin embargo, le advertían que no era allí donde debía quedarse, ellas eran solo la base, tenía que trascenderlas. Poco a poco, Elena notó que algo dentro de ella se iba transformando, y comenzó a sentirse más liviana.

Así como el tronco busca la luz y se extiende en ramas y hojas, y sus raíces se adentran en lo profundo de la oscuridad del suelo, así mismo Elena estaba dispuesta a continuar su proceso hasta lograr florecer y dar frutos. Esos frutos contienen la semilla del potencial para que otras también puedan **ArboreSer.**

–Gracias, gracias gran Árbol Sabio, por sanarme – dijo Elena.

–No, Elena, te has sanado tú. Solo acabas de tomar consciencia –le respondió.

Nuevamente le bajaban las lágrimas, pero esta vez no era de dolor, sino de agradecimiento, de poder ver en perspectiva su propio camino.

–Mi querida Elena, lo más importante, escúchame bien, es que te has acercado cada vez más a amarte a ti misma, a ser más auténtica y fiel contigo. El camino no se acaba aquí, vendrán otras experiencias y cada día serás un poco más sabia. Podrás tropezar de nuevo, pero no va a doler igual. No se puede guiar a otras por donde tú no has transitado. Ahora ve y muéstrales a otras el camino hacia la sanación. Ve en paz.

Elena se levantó renovada, con una claridad y confianza que no había sentido en mucho tiempo. Abrazó al árbol, le dio las gracias nuevamente y partió.

Se llora cuando se pela una cebolla, ¡a que sí!

Igual es el proceso de pelar las capas de dolor que cargamos hasta llegar al centro de nuestro verdadero Ser o esencia. Son capas de programas, lealtades ciegas y patrones familiares, emociones no procesadas, traumas y duelos congelados. Elena descubrió que, a medida que pelaba las capas, conectaba más y más con su verdadera esencia.

El dolor es solo un umbral que cruzas cuando tienes la guía y las herramientas adecuadas. El **sanar la herida no va a doler más que el momento en que te heriste.** Duele el miedo de creer que lo vas a volver a vivir. No te voy a mentir, duele, pero duele menos y, en vez de aumentar, ese dolor se va desvaneciendo; en su lugar, vas conectando con el agradecimiento del aprendizaje y el regalo de la sanación, la libertad y la paz interior.

Sanar duele, pero más duele quedarse con la herida sin sanar.

Sanar duele, pero más duele quedarse con la herida sin sanar.

I.
Las raíces se insertan en el suelo y le sirven de fundamento y anclaje a todo el árbol. De igual manera, en nuestra vida tenemos un sistema de raíces, a veces sano y fortalecido y, otras, débil y poco saludable.

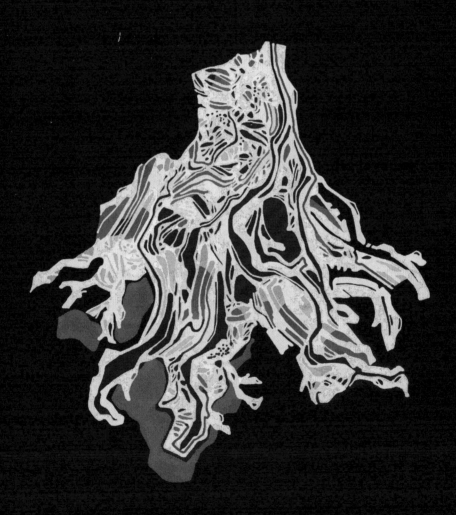

Raíces

Elena tuvo muy claro desde su adolescencia lo que quería estudiar en la universidad. En la escuela intermedia, en vez de tomar la clase de Economía Doméstica que tomaban todas las chicas, ella decidió que prefería tomar la clase de Artes Industriales, la que tomaban los chicos. Desde pequeña mostraba interés y destreza en los trabajos manuales y se la pasaba metida en el taller de ebanistería aficionada de su papá donde lo ayudaba o, simplemente, lo observaba. Cuando visitaba las librerías con su papá, gravitaba hacia los libros de arquitectura y diseño. Al anunciar que la carrera que iba a estudiar era Arquitectura, muchos la cuestionaron con desánimo, le decían cosas como «eso es para hombres», «es muy sacrificado», «no vas a dormir». Incluso la orientadora escolar le dijo que ella no iba a ser aceptada en la Facultad de Arquitectura porque nadie en su escuela lo había logrado.

Lo que no sabían es que mientras más cosas en contra le decían, más alimentaban el fuego del deseo y la certeza de ser arquitecta. Estaba decidida, nadie iba a cambiarlo. Tuvo la dicha de que su madre y padre siempre la apoyaron. Estudiar Arquitectura fue el sueño no cumplido de su papá. No lo pudo estudiar porque su padre, el abuelo de Elena, no se lo permitió. En ese tiempo la única Facultad de Arquitectura estaba en otra ciudad y no le concedió el permiso para que asistiera.

Como es bien sabido es una carrera muy sacrificada que supone largas horas de estudio y dedicación. Requirió de Elena extensas horas sobre la mesa de dibujo, construyendo maquetas, presentando sus proyectos ante paneles de jurado extremadamente críticos, junto con todas las clases del currículo. Aunque fue arduo, a Elena le gustaba, se lo disfrutó y le dio un entendimiento profundo de cómo conciliar las necesidades humanas con los espacios que se diseñan para ser habitados y cómo se aplican el arte, la historia y las ciencias en estos. Mientras estudiaba, fue parte de una organización estudiantil latinoamericana, lo cual le abrió las puertas para viajar a varios países, hacer nuevas amistades y conocer otras culturas. Elena disfrutó mucho sus estudios y lo vivió con gran intensidad.

Al momento de completar su tesis para el grado de maestría, su cuerpo comenzó a dar señales de agotamiento. Había desarrollado una gastritis severa, mayormente, por el estrés. Su abuela y su madre se aseguraban de que hiciera las pausas para alimentarse, pero el estrés extremo la tenía desgastada. A pesar de las dificultades de salud, logró hacer su defensa de tesis y graduarse. Como regalo por este logro, Elena se fue de viaje para visitar al chico con quien había mantenido una relación cuasi romántica a distancia por los pasados dos años.

Había conocido a Jacinto cuando visitó su país en un evento latinoamericano de estudiantes de Arquitectura de la organización a la cual pertenecía. El día antes del evento, mientras montaban la exhibición de proyectos, sintió una voz que mencionaba su nombre. Cuando alzó la mirada, lo primero que vio fue el gafete de identificación con el nombre «Jacinto». Reconoció su nombre porque habían estado intercambiando correos electrónicos como parte de la organización del evento, pero no lo conocía en persona y nunca lo había visto ni siquiera en fotos. Al subir la mirada hacia su rostro, se encontró con sus ojos. Cuando cruzaron sus miradas, sus almas se reconocieron. Fue amor a primera vista, al menos así lo vivió Elena. Ambos eran líderes en el evento y buscaban cualquier oportunidad para estar cerca. Jacinto la llevó a conocer la zona vieja de la ciudad, conversaban sobre arquitectura, literatura, música, poesía.

El encuentro duró el tiempo del evento: una semana, pero fue suficiente para crear un lazo más fuerte que la distancia, ya que había nacido una hermosa amistad. Una vez finalizado el evento y Elena ya de regreso a su país, fue tanta la conexión y el deseo de seguir conociéndose que buscaban la manera de comunicarse como fuera.. Jacinto tenía muy limitado el acceso a un teléfono de línea o al servicio de correo electrónico; lograba comunicarse cuando le daban acceso a la cuenta de un tercero. Con la justificación perfecta de continuar el trabajo de la organización estudiantil, Elena decidió regresar a visitarlo dos meses más tarde. Ya no había evento que asistir ni gente que atender, solo conocer a su familia, sus amigos, su vida. Elena se quedó de huésped en su casa, él le dejó su cuarto y se fue a dormir con su mamá. Se la pasaban todo el día caminando por todos los rincones de la ciudad y compartiendo con otros jóvenes estudiantes de Arquitectura, amistades de él. Al final de su maravilloso viaje de diez días, Elena regresó a continuar con sus estudios y responsabilidades, tiempo que mantuvieron la comunicación a distancia y la promesa de volver a verse, sin la certeza de que pudiera ocurrir. Se escribían cartas que lograban intercambiarse cuando encontraban a algún viajero entre los dos países que las pudiera entregar personalmente. Una o dos veces al mes lograban conversar vía telefónica desde casa de un vecino en el barrio de Jacinto. Entre ellos no había promesas ni juramentos, solo la disposición de ser parte de la vida del otro. Esto fue así por los siguientes dos años cuando por fin se dio el tercer encuentro tan esperado por ambos, el viaje luego de completar su tesis.

Elena emprendió este viaje con mucha ilusión. Jacinto fue a recogerla en el aeropuerto y al verse, se abrazaron fuertemente. Él también había terminado sus estudios y ya había comenzado a trabajar. Algunos días, Elena se iba temprano con él y se quedaba de paseo por la zona y, otros, dormía hasta tarde. Cuando se levantaba, la mamá de Jacinto le hacía el desayuno, compartían un rato y luego ella salía al centro de la ciudad antigua a encontrarse con él.

¡Cuánto disfrutó Elena su tiempo a solas caminando por la ciudad! Una de las primeras experiencias de libertad que sintió en su vida fue al bajarse del auto que la llevó a la plaza principal, de ahí tendría que caminar varias cuadras hasta llegar a la oficina donde trabajaba Jacinto. Mientras caminaba entre la gente, se sentía absolutamente libre. Nadie la conocía, nadie se interponía en su caminar. Se sentía plena y soberana al disfrutar ese momento consigo misma. Los sonidos, los olores, la gente en sus quehaceres, todo estimulaba sus sentidos.

Jacinto, aunque feliz de la visita de ella, estaba

distraído, presente, pero ausente. Elena lo notó y, cuando ya no pudo más con la incertidumbre, decidió expresarle su inquietud. Se fueron a un parque a conversar, sentados en un banco debajo de un gran árbol, Jacinto fue muy sincero con ella. Conversaron largo y tendido sobre sus vidas, las expectativas, los sueños y metas de cada cual. Se encontró un hombre diferente, confundido en sus sentimientos y en lo que quería de su futuro.

Ambos habían completado la carrera y la vida los confrontaba con decisiones adultas para las cuales no estaban listos. Para seguir juntos, uno de los dos tendría que dejar su país, entre otras importantes decisiones. La relación no resultó como Elena anhelaba en su corazón, no se formalizó. Regresó a su casa con el corazón roto creyendo que había perdido al amor de su vida. En su ingenuidad e inocencia, ella creía que no iba a volver a sentir la conexión hacia otra persona como la había sentido con Jacinto.

Regresó a su casa con el corazón roto creyendo que había perdido al amor de su vida.

Su regreso representaba asumir el próximo paso importante, buscar empleo, el cual encontró rápidamente y comenzó a trabajar al mes siguiente. Era su primer trabajo profesional el cual representaba que, sin lugar a postergaciones, comenzaba la vida adulta. En esta oficina de planificación había un grupo grande de jóvenes cercanos a su edad con los cuales comenzó a compartir socialmente los primeros meses al finalizar el día de la jornada laboral. Fue así como comenzó a relacionarse con Hazel, quien de manera amistosa y en poco tiempo, le demostró su interés romántico. Elena se sintió halagada de que se fijara en ella, le venía estupendo para no pensar más en Jacinto. Hazel era un chico simpático, risueño y amable. La invitó a salir y en unas pocas salidas se hicieron novios. Se sentía fácil y seguro estar en su compañía, la hacía reír y era una persona inofensiva.

El matrimonio nunca había sido una meta importante en su vida y tampoco la maternidad, sin embargo, Hazel era buena persona y a los cuatro meses de hacerse novios, para su sorpresa, le propuso matrimonio. Elena le dijo que sí, aunque en su corazón no se sintiera un «sí» pleno y absoluto, ella sentía un hueco en el pecho que necesitaba llenarlo. Ignoraba que con un corazón roto y el vacío que esto genera, no se puede elegir una nueva relación sin haberse sanado de la anterior. Pero qué más se podía esperar de la vida, ya había perdido a quien ella creía que era su gran amor. Había cumplido con completar sus estudios, ya tocaba seguir el libreto de formalizar una relación, ¿o no?

> **Ignoraba que con un corazón roto y el vacío que esto genera, no se puede elegir una nueva relación sin haberse sanado de la anterior.**

Estaba ante una nueva etapa en su vida, planificó su boda con Hazel con mucha alegría y entusiasmo. Con él se sentía querida y atendida. La idea de un nuevo comienzo la ilusionaba... después de todo, quizás sí podía ser feliz. Una vez casada, la gastritis que la afectaba al final de sus tesis degeneró en espasmos en los intestinos ese mismo año. Primero de manera esporádica y luego, se fue recrudeciendo al punto de que se tenía que asegurar que en el trayecto de su casa al trabajo y de regreso, tuviera la opción de, al menos, un baño donde poder parar. Cuando el dolor punzante la aquejaba, sentía como si le estuvieran apuñalando el intestino y era cuestión de unos pocos minutos antes que le diera tiempo de llegar a un baño a vaciarse. ¡Cuántas veces lloró a lágrima viva por el dolor mientras estaba sentada en el inodoro de cualquier baño! Su esposo ya sabía que cuando ella le decía que tenía que parar, solo tenían unos pocos minutos para identificar el baño más cercano y ella correr, así fuera en medio de una congestión de tráfico. Cuando los síntomas empeoraron en intensidad y frecuencia, comenzó un tratamiento con un gastroenterólogo quien la medicó para controlar los espasmos. El médico le advirtió que esta condición la tendría de por vida. A Elena le pareció lo más aberrante que alguien haya podido decir; tenía tan solo 27 años, comenzaba su carrera profesional y estaba recién casada. Se negaba a que el resto de su vida fuera bajo esas condiciones. Cerca de un año se mantuvo bajo tratamiento médico, pero la condición solo había sido paliada y bajado su intensidad, mas no así el síntoma. Dependía de los fármacos recetados para sentirse menos mal.

Elena tomó una decisión, no era así como quería vivir el resto de su vida, recordó que su madre tenía una amiga doctora que había incursionado en la medicina alternativa y le pidió que la llevara adonde ella. La doctora Margarita le ofreció alternativas para tratar la condición y le aseguró que podía recuperarse, eso sí, necesitaba hacer cambios. Le comenzó a hablar de temas que ella desconocía lo cual generó gran curiosidad por conocer más. La doctora le enseñó sobre la importancia de la alimentación con lo cual comenzó el aprendizaje de atenderlo diferente. Elena creía que se alimentaba bien, no tomaba bebidas carbonatadas, comía dulces en moderación y hacía todas sus comidas. Lo que no sabía era sobre el daño que le estaban haciendo los condimentos, los aditivos, los productos procesados como los embutidos, los refinados como harinas, los alimentos enlatados, la deficiencia de nutrientes en su alimentación y la falta de suplementación. Fue eliminando poco a poco estas cosas de su dieta mientras incorporaba alimentos frescos y simples, con alto valor nutricional y aumentaba la cantidad de frutas y vegetales. Dejó por completo la comida chatarra e implementó nuevos hábitos como no ingerir líquidos mientras comía, lo cual ayudó grandemente a su digestión, al igual que añadir enzimas digestivas.

Además, la doctora le hablaba de otro sistema de creencias que, al principio, Elena no entendía, sin embargo, algo en ella anhelaba conocer. Había sido criada en un entorno religioso, cristiano protestante, por lo cual sus creencias religiosas y dogmas estaban totalmente limitados a lo que le habían inculcado desde su niñez. Había crecido hasta ese momento pensando que solo había una manera de conectar con Dios, a sentir culpa de todo, a que solo estaba permitido el comportamiento de «niña buena y cristiana» y que el pecado estaba presente en todo, incluso bailar.

La doctora Margarita tenía una visión muy diferente sobre Dios y el mundo espiritual. Ella concebía a Dios como energía divina de la cual todos somos parte y no estamos separados de la misma. Le hablaba a Elena de luz y de colores para sanar. Sembró en ella la inquietud de hacer nuevas preguntas y cuestionar lo que hasta ese momento había creído. Fue entonces cuando Elena descubrió que las creencias limitantes con las que había crecido no iban a permitirle desarrollar todo su potencial y propósito. Al estar dispuesta a una nueva mirada, nueva información le iba llegando a ella.

Estuvo seis meses bajo tratamiento con la doctora Margarita. Los episodios de espasmos fueron disminuyendo, su sistema digestivo se recuperó y la gastritis ya no era un problema, solamente cuando comía en exceso o algo que no debía. Por fin sentía la esperanza de poder recuperarse de esta condición y de validar lo que su intuición le decía: no la tenía que padecer de por vida, contrario de lo que el médico le había pronosticado. Con el tratamiento alternativo, cambios en la alimentación y el abrirse a un nuevo entendimiento, logró dejar el medicamento y, eventualmente, dejó de visitar al gastroenterólogo quien no entendía ni estaba de acuerdo con los cambios que estaba haciendo.

> **Por fin sentía la esperanza de poder recuperarse de esta condición y de validar lo que su intuición le decía: no la tenía que padecer de por vida, contrario de lo que el médico le había pronosticado.**

Estos primeros pasos solo eran la punta del «iceberg» de las transformaciones que comenzaron en la vida de Elena. Para la gente que la rodeaba, observar estos cambios fue chocante, ella estaba rompiendo con lo que se suponía tenía que hacer, igual que todas las demás personas de su entorno. Había visto a su abuela y otros miembros de su familia materna sufrir de condiciones parecidas a lo largo de toda su vida. Comenzó a relacionarse con otras personas, con otras creencias y otras perspectivas.

Al mismo tiempo, la madre de Elena estaba combatiendo su propio síntoma, cáncer de seno. Igualmente, había decidido buscar tratamiento complementario a la radioterapia y la quimioterapia; primero, con su amiga la doctora Margarita y luego, en un centro de medicina integral. El tratamiento con la doctora la ayudó a tener la fortaleza para soportar mejor las quimioterapias y recuperarse más rápido. Además, a estos tiempos difíciles en su familia, se le sumó que su hermano recién casado se había autoexcluido del círculo familiar, esto representó un gran sentido de pérdida que toda la familia vivió con mucho dolor y poca comprensión de la causa.

Ante este panorama, el centro de medicina integral fue la luz al final del túnel para trabajar no solo su parte física, sino también su parte emocional. Allí su madre se atendía con Rosa quien practicaba la sanación pránica, una forma de medicina alternativa sin contacto que canaliza prana o energía vital. Cuando su madre le recomendó que fuera a atenderse con Rosa, Elena estaba sorprendida de que ella se diera la oportunidad de tratar algo tan diferente a sus creencias. Notaba que lo que fuera que estuviera haciendo la estaba ayudando y esto animó a Elena a visitar este centro. Aparte de querer seguir mejorando su salud física, quería encontrar respuestas para sanar la relación familiar con su hermano.

Rosa, un ser superamoroso, la recibió con increíble ternura. A través de las terapias de sanación pránica pudo experimentar por primera vez en su vida, de manera consciente, el sentir su cuerpo energético y el fluir de la energía. Acostada en una camilla con los ojos cerrados, Rosa, sin tocarla, le hablaba de partículas de luz con colores. Elena sintió cómo se expandía más allá de su cuerpo físico hasta sentir que llenaba toda la habitación, sentía cosquilleos y sensaciones como si la estuvieran tocando. Al final de la terapia, mientras Rosa la dirigía, ella sentía cómo regresaba nuevamente a su tamaño normal, el de su cuerpo físico. Había experimentado la expansión de su campo energético. Fue alucinante la experiencia. Estaba tan maravillada que quería entender y aprender más. Lo mejor de todo era que se sentía cada vez mejor. Con Rosa también conoció sobre el trabajo de **constelaciones familiares**, el cual tiene como objetivo que la persona perciba sus implicaciones en su familia para de este modo conectar con un movimiento de sanación para todo el sistema familiar. Aprendió que cargaba información de su árbol familiar y las repercusiones que esto estaba teniendo en su vida, en especial, la situación con su hermano.

Rosa fue su primera maestra espiritual porque la fue guiando y acompañando a través de los próximos años en su proceso de sanación y autoconocimiento. Gracias al interés y curiosidad que le había demostrado, ella le sugirió a Elena que tomara un taller de Sanación Energética, otro método diferente a la sanación pránica porque era más sencillo como primer aprendizaje sobre el tema. Este sistema integraba conocimientos sobre la física cuántica, la espiritualidad y la metafísica. Para Elena fue muy Importante interconectar estos temas desde una nueva perspectiva. Con este taller comenzó de lleno a adentrarse en el mundo de la sanación energética, la meditación y a comprender que somos mucho más que un cuerpo físico. Era información nueva que recién aprendía, sin embargo, sentía como si simplemente la estuviera recordando: todo era nuevo y a la vez conocido. Su ser resonaba con certeza ante estos aprendizajes. Fue abriendo su percepción al punto de que los colores se hicieron más brillantes y estaba más perceptiva de los pequeños detalles, más abierta a la belleza de lo simple y cotidiano.

Elena no lo sabía en ese momento, pero la enfermedad fue una bendición disfrazada, el síntoma la llevó al borde de un abismo, le alertó del dolor silente y escondido que habitaba en lo profundo de sus entrañas. Fue el catalizador para comenzar a buscar alternativas, de iniciar una nueva forma de entender su vida y cómo la estaba viviendo. No fue hasta que tuvo problemas serios de salud con su sistema digestivo que los muros alrededor de su corazón comenzaron a temblar para eventualmente derrumbarse.

Un cambio radical de paradigma se abría ante ella. La búsqueda la comenzó a conectar con las raíces de sus heridas que le indicaban la procedencia. Elena no estaba destinada a morar en sus heridas, el propósito era que fueran su cimiento, necesitaba trascenderlas. Eran sagradas. Gracias a estas, se encaminaba hacia sus más grandes aprendizajes, crecimiento y expansión.

**Elena no estaba destinada a
morar en sus heridas,
el propósito era que fueran su
cimiento, necesitaba trascenderlas.**

Descubre las raíces escondidas

Eres parte de un gran árbol familiar que comparte una consciencia y una información, es decir, naces dentro de una consciencia familiar. Desde antes de tu concepción, gestación, nacimiento y crianza, hay unas condiciones predeterminadas que absorbes y adoptas como una esponja. La consciencia familiar es atemporal porque carga toda la información de lo vivido por cada integrante del árbol familiar y se manifiesta a través de cada uno de sus miembros, generación tras generación. Esta información la llevas grabada y opera de manera inconsciente hasta que la miras y la traes a la luz. Una de las mejores herramientas para observar estas dinámicas es a través del trabajo de Constelaciones Familiares –creado por el teólogo y psicoterapeuta alemán Bert Hellinger–, el cual se fundamenta en la teoría de los Órdenes del Amor, sus principios son:

1. **Pertenencia:** Todos pertenecen, los vivos y los muertos, los presentes y los ausentes, los recordados y los olvidados. Hay un lazo invisible e inconsciente que une a todos, pretender que sea diferente trae «des-orden» al sistema. El campo sabio familiar reconoce este principio y, cuando no se observa, vemos cómo se manifiestan dificultades, enfermedades, conflictos que buscan llamar la atención hacia lo que ha sido excluido del sistema familiar. Un ejemplo puede ser cuando hay alguien que no se menciona porque tuvo un destino difícil o trágico: la tía loca, el abuelo que estuvo en la cárcel, el primer esposo de la abuela, una

muerte trágica, pérdida o aborto, etcétera. Muchas veces esta falta de reconocimiento a la pertenencia en el sistema familiar provoca que los duelos se congelen en el tiempo. Una nieta pudiera estar sufriendo de una depresión por tener una lealtad ciega a una abuela que tuvo la pérdida de un hijo o una pareja, incluso aunque nunca la haya conocido. Todo está grabado en la consciencia familiar y mueve de manera invisible los hilos de la vida de sus integrantes.

2. **Equilibrio entre el dar y recibir:** Las parejas dan y reciben entre sí, así como en cualquier otra relación interpersonal. Una relación no se puede sostener cuando una de las partes solo da y la otra solo recibe. Ejemplo: cuando escuchamos que alguien siente que le dio todo a otra persona y esta se fue. Se va porque no tiene manera de dar de vuelta. Los padres dan, los hijos toman y dan hacia adelante a sus propios hijos, a sus proyectos o en servicio a la vida. No hay manera de devolver a los padres porque nos han dado lo más grande: la vida. Puedes dar a tus padres en el momento que ellos lo necesiten en su vejez, pero desde el amor y agradecimiento, no como si pagaras una deuda.

3. **Jerarquía:** Habla sobre quién tiene precedencia en el sistema. Los padres siempre serán los grandes ante los hijos y, a su vez, estos siempre son los pequeños ante sus padres (abuelos). Sentirse más grande que papá o mamá implica no ocupar tu lugar. Aplica también a las parejas anteriores de una relación de pareja actual, por ello es importante honrar lo vivido para poder establecer nuevas relaciones que se sostengan. Lo que faltó de tu padre o madre lo proyectas

en tus parejas. Lo que no sanas de la pareja pasada, lo traes a la actual.

Lo que faltó de tu padre o madre lo proyectas en tus parejas. Lo que no sanas de la pareja pasada, lo traes a la actual.

Observar donde faltó el orden en el amor es lo que permite trabajar con un movimiento de sanación para el individuo y todo su sistema. La mirada sistémica te invita a reconocer y entender que eres parte de algo mayor y complejo. Te habla también de lealtades ciegas con miembros del árbol familiar que se reflejan en dinámicas inconscientes como *«Te sigo»*: dejas de vivir tu vida porque, ante la muerte y ausencia de un familiar, de manera inconsciente, quieres seguirlo a la muerte, desconectándote de tu vida; *«Lo cargo por ti»*: si hay un duelo congelado que se sigue pasando de generación en generación; *«Mejor yo que tú»*: cuando la persona por amor ciego se hace responsable de algo que no le toca, como una enfermedad.

El primer modelo relacional se vive a partir de la dinámica que se tuvo con la madre y el padre, ya que es el molde que se establece para cualquier otra relación que se tiene en la vida y con uno mismo. La madre representa tu relación con la vida misma, la capacidad de disfrutar, de vivir en abundancia, nuestra relación con el alimento y el autocuidado. Cuando cuesta aceptar a la madre tal cual es, se restringe el flujo de la vida. El padre representa tu fuerza de avance, de moverte y crecer, de salir al mundo, la capacidad de concretar tus proyectos e independizarte. Aceptas a tu madre y a tu padre con lo que pudieron o no darte, con lo bueno y lo que no, sea que estuvieron presentes o ausentes en tu vida; y lo haces en gratitud porque hicieron lo que pudieron con lo que sabían. Aunque te cueste aceptarlo, en su lugar tú hubieses hecho lo mismo. ¿Qué le reclamas a tu madre o a tu padre? Mientras sostengas ese reclamo, te mantienes bajo la expectativa de un anhelo infantil que permanecerá como un gran vacío.

> **¿Qué le reclamas a tu madre o a tu padre? Mientras sostengas ese reclamo, te mantienes bajo la expectativa de un anhelo infantil que permanecerá como un gran vacío.**

Frases sanadoras para soltar el reclamo y ocupar tu lugar:

Mamá, tú eres la grande, yo soy la pequeña. Papá, tú eres el grande, yo soy la pequeña.

Mamá y Papá, gracias por darme la vida, con eso es suficiente.

Tomo la vida que me han dado y hago algo bueno con ella.

El trabajo con constelaciones familiares es un modelo terapéutico que te ayuda a comprender que eres una parte fundamental de todo tu sistema. Por mucho que creas estar separado o que te puedes alejar, siempre eres parte de la consciencia familiar, perteneces a ella.

La familia en la que naces está conformada dentro de unas creencias determinadas y este es el molde inicial de lo que programará tu vida. Puedes seguir ese molde el resto de tu vida o puedes crear el tuyo propio, ambas decisiones traen sus consecuencias. En todo árbol genealógico van a surgir los que no se adaptan a los dictámenes de la consciencia familiar que suelen ser los más criticados, juzgados e incluso rechazados. Pero estos vienen a reparar y liberar información para todo el árbol. Lo puedes hacer de manera inconsciente o lo puedes decidir desde la consciencia. ¿Eres el escogido de tu árbol para sanar? Si lo eres, vas a querer mirar tus raíces para entenderlas y vas a procurar un camino diferente con el fin de producir una nueva semilla con información reparada.

«Que nadie te haga dudar, cuida tu "rareza" como la flor más preciada de tu árbol. Eres el sueño realizado de todos tus ancestros».
— Bert Hellinger, autor de Las ovejas negras

Este trabajo ayuda no solo a entender los conflictos a nivel familiar, sino a entenderlos en las otras esferas de vida, en todas las relaciones interpersonales y en los sistemas más externos, el social, el nivel laboral y en cualquier otro sistema al que pertenezcas. Esto es así porque llevamos esta información a todos los ámbitos de la vida y se pueden mirar todas las implicaciones y dificultades en cada una.

Reto: **Indagando en tus raíces**

La mejor manera de comenzar a indagar en tu historia familiar es levantando la información del árbol familiar. ¿Para qué te ayuda tener esta información? Es el mapa que te guía a un tesoro escondido. En tu árbol familiar está toda la información de los mayores retos a trabajar en tu vida y las herramientas que tienes para sobrellevarlas. De los ancestros se cargan los duelos congelados, los secretos, los anhelos no cumplidos, las fidelidades ciegas, los excluidos. Esto tiene repercusiones en todo el sistema familiar y, por supuesto, en ti de manera individual. También llevas de ellos su anhelo por hacerlo diferente, por sanar el sistema, por impulsarte hacia la vida. Con esta información se levanta, en consulta privada, el genograma familiar que es el mapa de las relaciones, los sucesos y las historias vividas, el cual ayuda a identificar cómo impacta tu vida actual. Se puede encontrar información que ayude a entender las enfermedades y dificultades cuyos orígenes sean psicogenealógicos, es decir, se manifiestan en tu cuerpo físico, pero sus orígenes tienen que ver con algo no resuelto en el árbol familiar.

En el cuaderno de apoyo puedes encontrar el cuestionario para que completes toda la información que conozcas. La que no tengas disponible, investiga y busca en tus raíces. Si no encuentras algunos datos, no pasa nada, solo con hacer este ejercicio, puedes descubrir información muy valiosa. Es tu primer paso de toma de consciencia. Una vez lo completes y, según lo que has mirado hasta ahora, define, ¿qué tema te gustaría trabajar en una constelación familiar?

Test:

Con total honestidad, asígnale un número a las siguientes aseveraciones según esta escala:

1 = Nunca / Totalmente en desacuerdo

2 = No a menudo / En desacuerdo

3 = A veces / Quizás

4 = A menudo / De acuerdo

5 = Siempre / Totalmente de acuerdo

■ **Me siento enraizada y sostenida.**

1   2   3   4   5

■ **Me alimento de manera balanceada y saludable.**

1   2   3   4   5

■ **Me ejercito o practico algún deporte regularmente.**

1   2   3   4   5

■ **Descanso lo necesario y procuro tiempo de ocio.**

1   2   3   4   5

Tu Salud y Bienestar

- **Me siento segura y protegida.**

      1   2   3   4   5

- **Tengo buen nivel de energía y vitalidad.**

      1   2   3   4   5

- **Escucho mi cuerpo y lo atiendo.**

      1   2   3   4   5

- **Me siento capaz de mirar los síntomas en mi cuerpo como mensajeros.**

      1   2   3   4   5

- **Me alimento de manera consciente, presente e intuitiva.**

      1   2   3   4   5

Suma la puntuación de cada una de las aseveraciones.

Total:

Salud y bienestar

Se habla de una epidemia de estrés en la que está sumergida la población mundial que vive en países industrializados. El estrés tiene origen en el miedo, el cual alerta sobre un peligro inminente e incita a actuar y esto desencadena una respuesta en el organismo que, bajo circunstancias normales, se desactiva una vez se sale de la situación de peligro. Sin embargo, los estilos de vida, la contaminación, el bombardeo de noticias negativas, mala alimentación, sedentarismo, entre otros, provocan estresores de manera continua. ¿Qué hacer? La respuesta está en regresar a un estado de paz interno al activar el mecanismo natural del organismo conocido como respuesta de relajación, disminuir los detonantes y aprender a manejarlo.

La manera que tu cuerpo clama por atención es a través de los síntomas o enfermedades. Préstales atención porque son mensajeros de lo que anda mal en el cuerpo físico y también en lo que anda mal en tus pensamientos y emociones. Se considera que «el 1% de las enfermedades está conectado con la genética. El 90% de las enfermedades o más, es el estilo de vida y la psicología del amor y el miedo», esta aseveración del Dr. Bruce Lipton, basada en innumerables estudios científicos, nos reta a atender nuestro bienestar. No estás sentenciada a un diagnóstico, tienes la oportunidad y el poder de cambiarlo. Es probable que estés pensando *es que mi enfermedad es genética, yo no puedo hacer nada con eso, es que toda mi familia ha tenido la misma condición*. La Epigenética, –que estudia cómo las circunstancias del medioambiente afectan el comportamiento de los genes– ha arrojado una mirada diferente. Es cierto que traes una información en tus genes, pero la clave radica en si esa información se activa o no. Invita a mirar en el entorno, los estados emocionales, las creencias, el estrés diario y los estilos de vida que son los detonadores de los síntomas.

Una clave en el proceso de empoderamiento con tu salud y bienestar es integrar la madre en ti: convertirte en tu propia cuidadora, nutrirte, sustentar y suplir tus necesidades, hacerte responsable de atender tu cuerpo con buena alimentación, movimiento, respiración consciente y el descanso adecuado. Mientras no asumas este rol en tu vida te mantienes en modo víctima, a merced de las circunstancias, culpando a todos y a todo. Desde este lugar eres impotente, frágil y susceptible como un bebé.

Cuando una criatura nace, tiene unas experiencias primales de supervivencia que estará repitiendo una y otra vez a lo largo de toda su vida. Estas experiencias son los primeros registros de bienestar y placer que experimenta el cuerpo físico.

Bajo condiciones normales hay una sucesión de eventos a partir del nacimiento. Lo primero que hace al nacer es **respirar** de manera autónoma, luego es sostenido, abrazado, **tocado**. El instinto hace que busque la teta de la madre para **alimentarse** y una vez satisfecho, **duerme**. Este alimento pone en movimiento todo su sistema digestivo hasta que tiene su primera **excreción**. La primera actividad a la cual responde el bebé es a la conexión a través del **juego** (movimiento), sumado a la necesidad de sentirse protegido y bajo un cobijo seguro. Si alguna de estas es interrumpida o alterada, posiblemente la memoria quedará grabada como una traumática.

En tu adultez, cuando no atiendes estas necesidades básicas, te privas de experimentar un estado de satisfacción con la vida. ¿Con cuál de estas tienes dificultad?, ¿qué tal si la falta de atención a alguna de estas es la raíz de la ausencia de bienestar?

Agua - ¿Te olvidas de tomar agua, te da pereza o prefieres tomar jugos, bebidas carbonatadas o alcohol? No te engañes, sabes que estas bebidas no te proveen la hidratación que tu cuerpo necesita, eso solo lo hace el agua. ¿Puedes reconocer cuando tienes sed sin confundirlo con hambre?

Muchas de las funciones corporales dependen del agua para una buena salud. Al levantarte, lo primero que debes ingerir es agua para que active tu metabolismo y las funciones corporales necesarias para iniciar tu día.

Para reflexión: ¿Cómo fue tu experiencia dentro del útero? Fueron las primeras aguas en las que estuviste sumergido.

Respiración - Si estás en estrés o con ansiedad, te olvidas de respirar conscientemente.

La respiración es un proceso autónomo, no tienes que forzarlo, sin embargo, tienes la capacidad de regularlo. Es tu recurso número uno para ubicarte en el presente, para relajar tu sistema nervioso, bajar la velocidad de tus pensamientos y la tensión muscular en tu cuerpo físico. Tu inhalación y exhalación van a un mismo ritmo, ¿una es más corta o larga que la otra?

Para reflexión: ¿Cómo fue tu nacimiento, hubo algo que dificultó tu primera respiración autónoma?

Alimento - Cuando vas a tomar un alimento, ¿lo haces en gratitud y abierto a saborearlo y disfrutarlo o estás pensando en las calorías que tiene y cuánto vas a engordar? ¿Acaso comes con distracciones o con prisa?

Lo que estás pensando mientras comes es la energía con la que ese alimento entra a tu cuerpo. Entonces, una experiencia que se supone sea de placer se vuelve una de tortura y castigo. Igualmente, el tipo de alimento, mientras más procesado sea, menos o ninguna energía vital contiene. Por otra parte, sabes qué tipo de comida en particular te hace daño, ¿te va a caer pesado, pero de todas maneras te engulles?, de esta manera no estás honrando tus necesidades tampoco.

Para reflexión: ¿Cómo fue tu primera alimentación?, ¿te pegaste a la teta rápido?, ¿no se pudo?, ¿te alimentaron con biberón?, ¿desarrollaste alguna alergia a la leche?

Toque físico - Evitas el contacto físico o no te gusta que te toquen ni tocar a otros. El toque físico es imprescindible para los seres humanos como mamíferos. Cuando eres tocado, tu cuerpo libera oxitocina, la llamada hormona del amor, que es la encargada de crear un vínculo o conexión entre las personas. Si de alguna manera sientes rechazo al toque físico, observa de qué te proteges. Quizás te tocaron de manera inapropiada en tu infancia y tu cuerpo carga esa memoria. Quizás le temes a la intimidad porque, de manera inconsciente, evitas crear el vínculo con otra persona.

Una manera de recibir los beneficios del toque es a través del masaje terapéutico el cual genera toda una serie de efectos propicios para el bienestar de todo tu organismo. **Busca alguien que te genere confianza y date la oportunidad de liberar las memorias negativas que hay en tu piel y date la oportunidad de experimentar una manera diferente de ser tocada.**

Para reflexión: ¿Cómo fue el primer contacto físico?, ¿te entregaron a los brazos de mamá?, ¿te acogió en su pecho?, ¿te llevaron directo a una incubadora o a una cuna?

Descanso - No descansas lo suficiente y pretendes dormir con el televisor o el celular encendidos. Comes justo antes de irte a dormir o tomas bebidas estimulantes. Cuando te acuestas, tu sistema está tan estimulado que no puede relajarse para conciliar el sueño profundo.

Hay personas que asocian el descanso o el dormir con pérdida de tiempo. Nada más lejos de la verdad. La biología del cuerpo responde a unos ciclos naturales que, si te sales de sintonía con estos ritmos, encuentras disfunción en tu organismo. Las horas nocturnas son esenciales para la reparación celular y cerebral, regulación metabólica y endocrina, activación inmunológica, entre otros.

Para reflexión: ¿Tus padres o cuidadores te proveyeron espacios de rutina, silencio y seguridad para tu descanso?, ¿asocias el descanso con inutilidad?

Excreción - ¿Cuántas veces tienes deseos de ir al baño y te lo aguantas porque no es tu casa y te da vergüenza, o estás ocupada o entretenida en otra cosa por lo cual atrasas la visita al baño?

Observa si estas funciones biológicas te resultan naturales y hasta te alivian, o si te provocan repudio y fastidio. Los esfínteres de la uretra y el ano aguantan cierto nivel de control, importante para que dé el tiempo de llegar a un baño, pero cuando se abusa de este control, puede ocurrir una tensión permanente que se va a reflejar en el resto del cuerpo. Esto puede estar relacionado con la necesidad de controlar de manera excesiva las circunstancias que te rodean. ¿A costa de qué pretendes mantener el control en tu vida?

Para reflexión: ¿Te obligaron a dejar el pañal antes de tiempo?, ¿eras castigado si tenías algún «accidente»?, ¿necesitar ir a un baño con urgencia fue motivo de vergüenza o burla en tu niñez?

Juego y movimiento - De niños, el cuerpo recibía el movimiento necesario a través del juego; de adultos, lo hacemos a través de las actividades físicas como el ejercicio o los deportes. Es probable que lleves una vida sedentaria y te cueste mucho mantener una rutina de movimiento activo. ¿Conoces el dicho popular «lo que no se mueve se empelota»?... bueno, tal cual, si no mueves el cuerpo con propósito, se irá poniendo rígido, lento, sin energía ni vitalidad. La actividad física desencadena la liberación de neurotransmisores y la secreción de hormonas esenciales para la buena salud y, sobre todo, el buen ánimo. El ejercicio es como tomarte una píldora para la felicidad gracias a las endorfinas que se liberan y el aumento en la oxigenación. Escoge iniciar alguna actividad física que te resulte sencilla y con la que puedas mantener la constancia. Sostén la disciplina hasta que crees el hábito. Tu cuerpo te lo va a agradecer.

¿Acaso te das el permiso de tener tiempo de puro ocio, durante el cual la «meta» es hacer absolutamente nada, solo disfrutar y relajarte. ¡Uf, qué mucho cuesta esto a veces, pero qué necesario es!

Para reflexión: ¿Qué tipo de actividad física practicabas en tu niñez?, ¿te gustaba moverte o te daba pereza? De adulto, ¿te parece una tortura o te genera disfrute?, ¿te criaron creyendo que el ocio era sinónimo de vagancia?

Habrá tantos escenarios como individuos y familias distintas, lo importante es observar si hubo carencia o excesos. Las experiencias te marcan aún cuando no las recuerdes o creas que no fueron significativas. Mi invitación es a que reflexiones, indagues el origen de esas carencias o excesos y atiendas con prioridad lo que requieras hacer para cubrir de manera efectiva tus necesidades básicas. La idea de identificarlo no es para justificarlo, es para reconocer cuál es la programación o creencia que está oculta y, entonces, decidir hacerlo diferente trascendiendo la vieja información con nuevos pensamientos y hábitos. **La claridad te da el regalo de elegir hacerlo diferente.**
El miedo es un umbral que hay que cruzar si quieres cambios en tu vida. Por el miedo, tardas en tomar decisiones,

en moverte de una situación lugar o donde no eres feliz o no sientes bienestar. Ese umbral requiere valor para atravesarlo. El miedo puede ser un ancla que te mantiene estática, inmóvil o, por el contrario, te puede servir de motor para moverte con impulso y dirección, tú decides.

«La enfermedad es el resultado de un desequilibrio emocional que se produce en el campo energético del ser vivo. Si ese desequilibrio persiste, enferma al cuerpo bajo la forma de enfermedades psicológicas y orgánicas (psicosomáticas)».

—Dr. Edward Bach, médico cirujano, bacteriólogo, patólogo y homeópata inglés

Oportunidad: **Habita tu cuerpo físico**

¿Cuál sería la mejor manera para ti de mantener una buena condición física desde el gozo de mover tu cuerpo, de oxigenarte y de proveer a tu cuerpo los nutrientes que necesita?

¿Qué tal si movieras tu cuerpo porque te encanta, porque te llena de energía y te hace sentir más poderosa?, ¿y si te alimentaras desde la bendición y la nutrición que te proveen los alimentos olvidando el concepto de dieta para aprender a comer sano e intuitivo según tus necesidades particulares?, ¿y qué tal si la definición de tu imagen no se basa en los que los otros digan de ti, sino en como tú defines de cómo te quieres sentir y ver?

Al escuchar tu cuerpo con tanta atención puedes reconocer cualquier distorsión en tus pensamientos, tus emociones y en tu entorno, porque tu cuerpo se convierta en la brújula para navegar tu vida. Haz el compromiso contigo misma de moverte en la dirección de tu mayor bienestar.

1. Cierra los ojos por un momento y haz un escaneo mental desde la punta de los dedos de los pies hasta el tope de tu cabeza.

2. Nota cómo se siente cada parte, qué duele, qué molesta, qué se siente apretado o tenso.

3. Luego que lo reconozcas, lleva la atención a la respiración, con pausa y calma, inhala y exhala, relaja el cuerpo, suelta la tensión.

4. Repite las veces que sea necesario hasta que sientas alivio en el momento presente.

Este ejercicio de escuchar y sentir el cuerpo lo puedes hacer varias veces al día para que habites y atiendas tu cuerpo con consciencia.

Amo cada parte de mi cuerpo, cada célula vibra en salud y vitalidad.

Mensaje del Árbol Sabio:

La importancia de entender y sanar tus raíces radica en que de esto depende si avanzas en tu propio camino o si vives atada al pasado. Sanas tú, sanas tu árbol familiar. Mira al miedo y conviértelo en tu aliado.

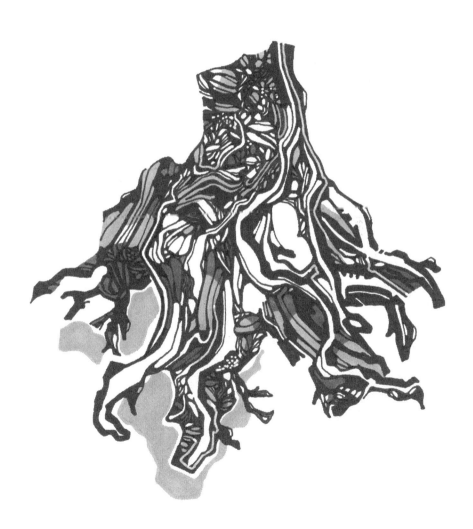

II.
La plántula va emergiendo desde el suelo una vez se establecen las raíces. No sabe las condiciones a que se va a encontrar cuando se asome, sin embargo, es el primer contacto con el exterior.

plántula

Era el cumpleaños número siete de Elena, hacía pocos meses que se habían mudado a la nueva casa que recién habían construido sus progenitores. La casa estaba en el campo rodeada de vegetación, tenía balcones al frente y en la parte posterior. Esa tarde, Elena se mecía en el sillón colgante del balcón que su papá había construido, mientras esperaba a que su madre terminara de colgar la ropa en el cordel para ir a comer helado en celebración por su cumpleaños. Tenía la mirada perdida en el patio entre la vegetación y los árboles. De pronto, algo lumínico flotaba frente a ella, era un destello de luz con la forma de una persona, parecía que tenía alas, era liviano y translúcido. Elena lo siguió con la mirada mientras daba la vuelta en la esquina del balcón hasta que se desvaneció en el aire. Ella quedó con la impresión de que volaba rondando la casa en protección.

– Mami, acabo de ver un ángel –le dijo emocionada.

Le contó todos los detalles de lo que había visto y su mamá celebró con ella la aparición como su regalo especial de cumpleaños. Elena creció con la confianza de que estaba acompañada, protegida del peligro. Tuvo la certeza de que existía una dimensión espiritual no visible... de todas maneras, de eso hablaban en su iglesia. En una ocasión, en casa de sus abuelos paternos, el lavamanos del baño se desprendió de la pared mientras ella lo usaba. Con sus bracitos y el cuerpo de una pequeña niña de cinco años, sostuvo el pesado lavamanos mientras gritaba pidiendo ayuda. Cuando su padre entró al baño, le quitó el pesado lavamanos de los brazos. Ninguno de los adultos podía comprender cómo ella pudo sostener ese peso sin lastimarse. En otra ocasión, mientras se bañaba, una de las pesadas planchas de «marmolite» se desprendió de la pared de la bañera justo en el momento en que sacó la segunda piernita fuera de la bañera. Un segundo antes y la pesada cubierta le hubiese caído encima.

Unos ocho meses más tarde de la aparición, un día cualquiera regresaban a la casa de hacer diligencias con su mamá. Cuando llegaron, descubrieron que su papá se había ido. Se había ido con otra mujer fuera del país, detalles que su mamá no compartió en ese momento con ella ni siquiera con su hermana mayor y mucho menos con su hermano menor, pero cuyas consecuencias los sumió en una tempestad emocional y de profunda tristeza. Fueron días de mucha confusión y desconcierto, se sentía un gran vacío y silencio. Al cabo de unas semanas, su padre vino a visitarlos por primera vez. En efecto, se había ido del país, pero regresó. A Elena le sobrecogió una gran alegría al ver a su padre, sin embargo, sentía una incertidumbre muy profunda, había algo diferente en él.

– Papi, ¿no vas a darle un beso a mami? –le dijo Elena.

No hubo respuesta, su padre permaneció en el balcón todo el tiempo, nunca entró a la casa, como si ya no perteneciera a allí, solo fue una breve visita. Les trajo regalos y conversó un rato con ella y sus hermanos. En ningún momento mencionó lo ocurrido ni por qué se había marchado. El hermano pequeño de cuatro años se quedó llorando cuando su papá se despidió. Durante muchos años, esa fue la misma triste escena, cada vez que su papá venía a verlos y luego se marchaba. Desde ese día en adelante, su padre venía a recogerlos los sábados temprano en la mañana y los traía de vuelta en la tarde, año tras año, sin fallar.

Elena aún no lo sabía, pero su madre tenía tres meses de embarazo. Su abuela materna vino a vivir con ellos para ayudar a su mamá embarazada con tres niños pequeños y en un estado emocional de desconcierto absoluto. Su papá ya tenía otra familia que apenas estaba creciendo, la pareja de su papá también estaba embarazada. Elena se convirtió en la ayudadora de su mamá, era la más apegada a ella, se mantenía lo más cerca posible y sufría mucho cuando estaban separadas. Cada vez que su madre salía, le causaba mucha ansiedad la espera por su regreso. Hubo un día en particular muy angustioso para ella. Su mamá había salido a hacer diligencias y un evento de fuertes lluvias provocó inundaciones repentinas. La madre no podía regresar, no había paso. Les notificó por teléfono la situación mientras se refugiaba en casa de una amiga. ¡Qué horas tan agobiantes para ella imaginando que su mamá nunca regresaría!

Hasta sus seis años, había vivido en una urbanización en contacto con vecinos, ahora vivían en un campo solitario.

Fueron tiempos de mucha soledad. Elena extrañaba con locura los momentos que pasaba con su papá en el taller. Se refugió en la lectura y en la naturaleza que la rodeaba.

A Elena y su hermana mayor les tocó asumir roles adultos a muy temprana edad. La niñez de ambas se congeló. Jugaban, pero tenían un alto grado de responsabilidad ante sus hermanos. Y, además, tenían que lidiar con la falta de comunicación entre sus padres ya divorciados. Ya había en el panorama cuatro hermanos más. La niña que dio a luz su mamá; diez días más tarde, el niño que dio a luz la pareja de su papá y durante los tres años siguientes, dos niñas más de su padre.

Fue pasando el tiempo sin muchos cambios, pero en el transcurso Elena sentía que eran una familia incompleta. El divorcio para este tiempo de principios de la década de los 80 todavía era mal visto y señalado. Cada uno de los hermanos lo vivió y lo manejó diferente, y cargaron sus propias heridas hacia la adultez. Ante tales circunstancias de vida, los adultos que rodeaban a Elena estaban demasiado ocupados lidiando con sus penas y complicaciones, lo que causó en ella que no se sintiera vista ni escuchada. Desarrolló una madurez por encima de su edad. Fue levantando muros alrededor de su corazón para protegerse y el resultado de eso fue vivir en soledad emocional durante mucho tiempo.

Los primeros siete años de vida son el modelo vincular de las relaciones interpersonales –especialmente con la pareja– el cual está principalmente determinado por cómo se vive la relación con mamá y papá, y cómo es la relación entre ellos. Elena cargaba un miedo inconsciente a ser abandonada nuevamente y se esforzó en que no volviera a ocurrir. Esto provocó que desarrollara un estilo de apego ansioso que se hizo evidente en su edad adulta.

Elena había asumido el rol de niña buena, obediente y estudiosa para ser vista y apreciada, lo cual no le resultó nada mal en esta temprana edad, ya que sobresalía en su desempeño escolar. Su comunidad religiosa fue pilar en esta etapa, le proveyó el espacio seguro y amoroso para desarrollar liderazgo, enfoque en sus estudios y en mantener una vida sana. La adolescencia de Elena fue bastante estable, una época de mucho disfrute, ya que se refugió en sus amigos y los estudios.

Aprendió a ser independiente como su abuela y su madre, a quienes veía hacer las tareas que usualmente se le asignan al rol masculino: reparaciones en el hogar, atender el patio, mantenimiento, entre otras; no tenían otra opción, había que hacerlas. Cuando su abuela se enfrentaba a tareas fuera de su capacidad, decía cosas como «¡qué falta hace un hombre en esta casa!», un recordatorio de que estaban incompletos como familia. Elena creció con la programación inconsciente de que una mujer se puede sostener por su cuenta, pero, a la vez, con el vacío de que «no hay un hombre en la casa».

Se crio en un entorno donde no sufrió necesidad, pero tampoco había lujo. Aunque podía notar que en otras familias había más recursos y en otras menos, no sintió desventaja, más bien agradecimiento por lo que sí tenían. Vivían con lo necesario, nunca sintió escasez, aunque tras bastidores su mamá y su abuela hacían malabares–a pesar de la aportación que hacía su padre– para poder suplir todas las necesidades básicas. A sus ocho años, su mamá la llevó al banco para abrir su primera cuenta de ahorros. Aprendió sobre el manejo del dinero, le enseñaron sobre el valor del ahorro y la importancia de pagar las cuentas de manera diligente.

Gestionar las aguas internas

Las emociones son la energía del efecto de la vibración de tus pensamientos en tu cuerpo. Se mueven como la marea, hay altas y bajas, no son ni buenas ni malas, pero sí pueden tener un efecto positivo o negativo. Cuando no entiendes este flujo, te corres el riesgo de engancharte en el drama de las situaciones de vida, te vuelves insegura e inestable. En cambio, si estás sintonizada, fluyes con los cambios y te permites sentir cada emoción sin ignorarla y sin apropiarte de ella. Vives desde la seguridad en ti misma, honrando lo que el momento pide que le prestes atención. Si no lo atiendes, estás ignorando un sistema de alerta primal de tu biología.

En cambio, si estás sintonizada, fluyes con los cambios y te permites sentir cada emoción sin ignorarla y sin apropiarte de ella.

Funciona como un semáforo, te indica cuándo hay que detenerse, cuándo hay que bajar velocidad o cuándo puedes proseguir. Te alerta cuando hay peligro, cuándo es necesario detenerse o se necesita entrar en un espacio de silencio y quietud para procesar. Las emociones también pueden nublar tu percepción de las circunstancias, y causar que interpretes una situación de manera desproporcionada o distorsionada, de modo que además afecta la habilidad de tomar decisiones acertadas. La emoción quiere y necesita moverse, es su naturaleza. Un ejemplo es cuando se ven personas en duelos eternos sumidas en una tristeza profunda que no tiene fin, otro es vivir en el frenesí del día a día ignorando la emoción que se quiere mover internamente. Las emociones que han quedado atrapadas en el cuerpo pueden provocar la manifestación de síntomas físicos, es decir se somatizan. El clásico ejemplo es cuando la medicina alopática no tiene explicación para la manifestación de la enfermedad en una persona. Es entonces cuando se debe mirar hacia otra dirección para atender la condición desde otra perspectiva, siempre y cuando la persona quiera sanarse.

> **Las emociones que han quedado atrapadas en el cuerpo pueden provocar la manifestación de síntomas físicos, es decir se somatizan.**

Hay personas que no quieren trascender su enfermedad porque de ella están generando algún «beneficio», como recibir la atención de la familia, amigos o pareja que de otra manera no recibirían. Sin juicio ninguno, observa cuál es la respuesta que se genera en tu entorno a partir de tu síntoma o enfermedad. ¿Será que te ayuda a alejarte de personas que no quieres tener cerca o, por el contrario, mantiene cerca de ti personas que de otra manera no lo estarían?

El Dr. Bradley Nelson, en su libro *El código de las emociones,* explica que, si se libera la emoción detrás de un síntoma, este ya no tiene por qué manifestarse, ha cumplido su propósito. Ha sido un efecto físico de una experiencia que ha quedado silenciada en el interior de la persona. En su libro presenta asombrosos testimonios y experiencias de sanación con sus pacientes luego de liberar emociones atrapadas. Cuando la emoción es demasiado fuerte para ser procesada porque las circunstancias no lo permiten, queda atrapada su energía en el cuerpo físico, incluso en órganos específicos. Según sea el órgano afectado de la persona, podemos tener una idea de cuál es la emoción asociada. En mi experiencia con clientes he sido testigo del gran beneficio que resulta el limpiar la carga emocional que ha quedado rezagada. La sensación al liberarlas es, literalmente, la de soltar una pesada carga. «Me siento liviana» es la expresión que más escucho de mis clientes. Todo lo que no pudo ser procesado en su momento, queda guardado congestionando tu energía y tu vitalidad. Además, es importante atenderla porque, en la medida que esa emoción permanezca atrapada en tu cuerpo, va a crear una resonancia con las experiencias que atraigas a tu vida. Lo igual atrae lo igual, por vibración va a seguir llegando lo mismo hasta que lo atiendas. Por ejemplo, si cargas la información de tristeza profunda, van a seguir llegando experiencias de tristeza a tu vida porque es lo que tu cuerpo reconoce desde la resonancia.

La gestión emocional no es otra cosa que atender de manera apropiada este movimiento interno con el fin de atemperarlo a las circunstancias. Según lo explica la página oficial del Instituto Enric Corbera, la Bioneuroemoción® es un trabajo psicoemocional que propone una mirada holística para atender la relación que tenemos con nosotros mismos y, por ende, con los demás e incide sobre la salud emocional. Se trabaja procurando un cambio de percepción y comprensión de la información inconsciente del colectivo, familiar e individual. Te lleva a mirar todo lo que ha sido limitante en términos de creencias, pensamientos, conductas y traumas para que puedas entender que lo que ocurre en tu vida no es casualidad, sino que tiene un hilo conductor con alguna experiencia previa, y te muestra cómo esto puede ser una oportunidad de crecimiento.

La emoción que está relacionada con alguna experiencia de trauma puede ser reactivada por cualquier cosa o circunstancia que funcione como un detonador. La manera más fácil de identificarlo es cuando se reacciona de manera desproporcionada a la situación que se está viviendo. La respuesta emocional no es ante el evento reciente, sino que es la reactivación de la experiencia previa, grabada en la memoria celular.

> **La respuesta emocional no es ante el evento reciente, sino que es la reactivación de la experiencia previa, grabada en la memoria celular.**

En esos momentos de fuerte activación emocional, otra herramienta sencilla y poderosa es la técnica de liberación emocional (EFT) o «tapping», la cual consiste en hacer pequeños golpes en puntos específicos del cuerpo con el fin de estimular el sistema energético humano para producir equilibrio emocional. Es una técnica que cualquiera puede hacer por su cuenta y te ayuda de manera inmediata a navegar una emoción o situación estresante. Hay cientos de vídeos en internet que puedes encontrar para aprender a aplicarla. **El cambio hacia tu bienestar emocional comienza con una decisión tuya, querer sanar, hacerlo diferente, mirar hacia adentro, liberar, integrar y trascender.**

Reto: Define cómo se comporta tu niña interna «buena» y «mala»

¿Cuán sintonizada estás con tus emociones y lo que te alertan? La niña interna representa tu mundo emocional y la información que ha quedado grabada en ti. La niña que te habita quiere ser libre, ni buena ni mala, solo quiere ser ella misma. Me gusta usar la analogía de la niña «buena» y la niña «mala» como etiquetas a las respuestas que se generan como mecanismo de alerta. Observa diferentes escenarios en tu vida donde puedas notar cómo se manifiesta una o la otra. En la medida que notas el fluir de la emoción, sintonizas con su propósito, procuras gestionarla dándole voz a una parte de ti que está comunicando unas necesidades que has dejado de cubrir. ¿Puedes identificar cuándo se detona una respuesta o la otra?

Nina «buena»	Niña «mala»
• Se olvida de sus necesidades y verdaderos deseos con tal de agradar al otro y ser aceptada. • Calla y acepta, se enmudece y aguanta con tal de evitar el conflicto. • Sigue una obediencia ciega. • Es recompensada cuando se amolda a lo que otros esperan de ella.	• Te alerta que tienes que poner límites. • Cuando le tocan su herida primaria, siente un desborde emocional que la adulta lo vive como algo irracional. • Se rebela cuando ya no aguanta más. • Recibe castigo o rechazo cuando se expresa.

Test:

Con total honestidad, asígnale un número a las siguientes aseveraciones según esta escala:

1 = Nunca / Totalmente en desacuerdo

2 = No a menudo / En desacuerdo

3 = A veces / Quizás

4 = A menudo / De acuerdo

5 = Siempre / Totalmente de acuerdo

■ **Dejo ir las cosas fácilmente.**

      1   2   3   4   5

■ **Me despejo regularmente con pasatiempos y actividades divertidas.**

      1   2   3   4   5

■ **Me siento con buen manejo y gestión de mis emociones.**

      1   2   3   4   5

■ **Enfrento mis problemas sin huir de estos.**

      1   2   3   4   5

Tu Dinero y Finanzas

- Me gusta como me siento con otras personas.

  1   2   3   4   5

- Me siento en paz con mi situación de vida actual.

  1   2   3   4   5

- Tengo buen manejo de mis finanzas.

  1   2   3   4   5

- El dinero me llega fácilmente y soy consciente de cómo lo utilizo.

  1   2   3   4   5

- Tengo suficiente y un poco más.

  1   2   3   4   5

Suma la puntuación de cada una de las aseveraciones.

Total:

Dinero y finanzas

El dinero fluye como el agua, a veces se estanca y otras, corre a raudales. Observa cómo permites que fluya en tu vida, si es con dificultad como agua estancada o abundante como lluvia que cae sobre el río y lo desborda. Cuando piensas en dinero, ¿lo percibes como un recurso escaso o como una fuente abundante?, ¿controlas cada centavo porque crees que si no es así te va a faltar o, por el contrario, gastas lo que tienes y lo que no tienes?, ¿despilfarras no porque te sientas abundante, sino porque no le das el valor que tiene como herramienta de transformación, por ejemplo, invertir en tu propio crecimiento?

¿Agradeces el dinero que llega a ti?, ¿pagas tus cuentas con la gratitud de tener suficiente?, ¿qué creencias sobre el dinero vienes arrastrando a cuestas y te están limitando en lograr tus metas y anhelos? Tus creencias sobre el dinero las has heredado de tu núcleo familiar y de tu transgeneracional, la mayoría de manera inconsciente. Probablemente, te enseñaron que el dinero no era importante, que tener mucho dinero te hace mala persona... «*el dinero no crece de un árbol*»...«*el dinero es sucio*»... «*el dinero solo trae problemas*»... «*no hay suficiente para todos*» y otras tantas creencias que se convierten en programaciones. ¿Qué relación ha tenido tu familia con el dinero?, ¿ha habido alguien en tu familia que se haya arruinado?, ¿qué escuchabas en tu casa de pequeña con respecto a este tema, a la suerte, al trabajo? En cada hogar hay una historia distinta. Es importante entender que la manera en la que te relacionas con el dinero tiene mucho que ver con cómo se vivió en tu hogar. Hay personas que en su niñez vivieron grandes necesidades y en la adultez se les dificulta el manejo del dinero o viven obsesionadas por amasar fortuna. Quizás fue todo lo contrario, había tanto que no aprendieron el valor de manejarlo con sabiduría. Indaga dónde se ocultan esas creencias para así poder sanarlas y trascenderlas; mientras no lo hagas, van a ser tu peor asesor financiero.

> **Indaga dónde se ocultan esas creencias para así poder sanarlas y trascenderlas; mientras no lo hagas, van a ser tu peor asesor financiero.**

Reflexiona cómo ha sido tu relación con el dinero. Cuando tienes más que otros, ¿sientes culpa? Cuando ves que otros tienen más que tú, ¿sientes envidia? Si estás vibrando en la culpa, probablemente te consideras no merecedor por lo cual cierras el flujo de abrirte a recibir. El dinero es solo una manera de intercambiar bienes y servicios. Lo que decides hacer con este es lo que determina si es para bien o para dañar.

¿Qué tal si cambias el foco hacia todo lo que puedes hacer y contribuir con unas finanzas saludables y abundantes?, ¿qué tal si te hubieran enseñado a hacer manejo de tus finanzas, a ahorrar, a tener una mente emprendedora, a procurar tener el dinero suficiente y más para compartir? Empoderarte con tu dinero y finanzas significa hacerte cargo de ti misma, convertirte en adulta. La niña interna es quien tiene miedo de crecer, exige, se queja, se mantiene en el reclamo con mamá y papá por lo que no dieron, fallaron o no pudieron hacer. Observa y atiende tu mentalidad hacia el dinero, edúcate, crea hábitos saludables con tus finanzas.

¿Qué estilo de vida quieres vivir y qué necesitas para ello?, ¿qué sueño tienes que no has logrado porque no te alcanza el dinero? No hablo de posesiones, sino de cómo sería tu vida mejor porque tienes dinero suficiente y más. Imaginarlo es el primer paso, pero no es suficiente, hay que moverse hacia ello.

Pasos básicos que puedes comenzar a tomar:

1. Edúcate en el tema, te puede causar pereza, pero te aseguro que hay libros muy interesantes y recursos estupendos disponibles.

2. Conoce tus números, cuánto entra y cuánto sale.

3. Simplifica e identifica por dónde se te escapa el dinero.

4. Crea un fondo de emergencia, la paz mental que esto genera no tiene precio.

5. Ahorra con propósito, asígnale un objetivo.

6. Salda tus deudas estratégicamente.

7. Pon tu dinero a crecer.

8. Crea múltiples fuentes de ingresos.

9. Haz las paces con la incertidumbre, aunque creas tener todas las bases cubiertas.

Para mí el dinero significa libertad para valerme por mí misma, para escoger lo que quiero y cómo lo quiero, para ser independiente, para tener suficiente para compartir.

Significa hacerme cargo de mí.

«Las mujeres, si no tienen independencia económica, no tienen libertad».

— Matilde Ucelay, arquitecta

Oportunidad: **Ábrete a sintonizar con la abundancia**

Abundancia no tiene que ver con tener, tiene que ver con un estado de consciencia; con sentir que hay suficiente y un poco más, y partir de la confianza de que lo que necesites va a ser suplido. ¿Estás lista para abrirte a la posibilidad de aceptar todo lo bueno que hay esperando a ser recibido por ti, pero que, quizás, eres tú misma quien resiste su manifestación? Observa qué parte de ti no cree posible vivir en abundancia. Lo más probable es que de manera inconsciente la estás bloqueando. Cuando alguien te regala algo o te da un cumplido, ¿te sientes incómoda o en deuda?, ¿se te hace fácil recibir y agradecer?, ¿estás desarrollando tus talentos y dones?, ¿qué otros ven en ti y a ti te cuesta reconocer? Vas a crear más de aquello en lo que pongas tu enfoque. Si te enfocas en la carencia, lo que te falta o no tienes, vas a ser «abundante» en eso porque es lo que vas a generar.

> **Si te enfocas en la carencia, lo que te falta o no tienes, vas a ser «abundante» en eso porque es lo que vas a generar.**

Por el contrario, ¿qué experiencias te hacen sentir abundante? Invitar a un amigo a cenar, el tiempo libre y de ocio, estar rodeado de amistades, levantarte con energía cada mañana, tener víveres en la nevera o alacena, ver un árbol florecido. Desde lo más tangible a lo intangible, identifica esas pequeñas cosas y magnifica tu atención e intención hacia ellas.

Desde lo más tangible a lo intangible, identifica esas pequeñas cosas y magnifica tu atención e intención hacia ellas.

¿Cómo lo vas trabajando? Comienza por aceptar que sí tienes el deseo de recibir toda la abundancia que está dispuesta para ti, crea el espacio para que llegue, agradece y permite que se manifieste. Asimismo, lo logras al pulir tus talentos, desarrollar tus dones y hacer lo que viniste a hacer a esta vida; al liberarte de la consciencia familiar que carga las creencias y patrones que traen la información de escasez.

Observa cada día todas las manifestaciones de abundancia que ocurren a tu alrededor, la mejor maestra es la naturaleza. Mientras más las notes, te des cuenta y las agradezcas, más en sintonía vas a estar y, por ende, eso vas a atraer. Y cuando entiendas el poder que tienes para crear, comenzarás a manifestarla. **Te invito a hacer una lista de todas las evidencias de abundancia en tu vida en el presente.**

Estoy en libertad financiera y vivo la abundancia.

Mensaje del Árbol Sabio:

La naturaleza es la mayor evidencia de lo que significa abundancia, comienza a observar para que te des cuenta cómo se manifiesta. Permite el fluir dinámico de la vida a través de ti.

III.
El tronco es el elemento principal estructural del árbol, soporta las ramas y todo lo que lo compone. Busca crecer en dirección al sol, a la luz. Si tiene el espacio, el tronco crece erguido; sino lo tiene, crece en la dirección de menos resistencia.

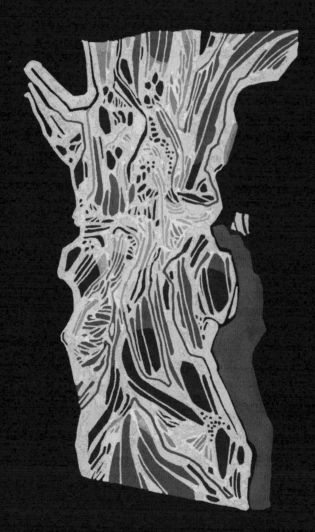

Tronco

Al pasar de los primeros años de matrimonio en sus casi treinta años de edad, Elena y su esposo vivían juntos, pero sin intereses en común, lo cual no fue evidente al comienzo de la relación. Se sentía atrapada en una relación a la que no le veía futuro, sin posibilidad de crecimiento mutuo, en la que cada cual escogía caminos muy diferentes. No hacían cosas juntos para divertirse, ni había chispa entre ellos. Era un buen hombre, de buen corazón, buen carácter, pero con un problema de consumo de alcohol que se acrecentó con el pasar de los años. Nunca hubo maltrato físico ni agresión, fue más bien lidiar con el lado pasivo del alcoholismo en el que la vida de esta persona giraba en torno a su consumo y las actividades que lo apoyaran. Para Elena fue otra experiencia de abandono, vivió años de mucho llanto y frustración, se ahogaba y se apagaba de a poco. Buscó ayuda para ella, para él, para ambos. Una terapista les dijo: «Ustedes parecen una pareja de viejitos aburridos», así exactamente se sentía Elena en esta relación.

En medio de esta sensación de estancamiento, Elena comenzó un nuevo trabajo y con este apareció Ilán a su vida. Fueron reclutados para comenzar a trabajar el mismo día, habían llegado a la hora convocada para pasar por todo el proceso inicial como nuevos empleados. Aunque no lo tuviera a la vista, Elena podía sentir la presencia de Ilán mientras se movía en el salón, su voz le resultaba familiar, sin embargo, evitaba a toda costa mirarlo. Algo en ella le advertía mantener la distancia aun como compañeros de trabajo. Las primeras semanas ella lo intentó, pero él venía todas las mañanas hasta su escritorio para saludarla. Ella aceptaba el saludo de manera cordial sin entrar en mucha simpatía. Al cabo de los meses, una de esas mañanas que Ilán iba a saludarla a su escritorio, al Elena alzar su vista y mirarlo a los ojos, de su boca salieron las siguientes palabras:

–Anoche soñé contigo.

Las palabras habían salido de su boca sin poder evitarlo. En el mismo instante conectados con la mirada, Elena recordó que había soñado con él y todos los detalles que había olvidado al despertar.

–Me da curiosidad, ¿qué soñaste Elena? –le dijo él.

Cautelosa con lo que iba a decir, le dio un breve resumen del sueño, sin mostrarle mucha importancia. Ella sabía que no podía contarle todo el sueño, no era apropiado. La realidad es que fue el sueño más vívido, colorido, lleno de luz y a la vez mágico que jamás Elena había tenido en su vida. Estaban en una playa, el mar brillaba como si fuera luz líquida, ellos se desvistieron y se adentraron al agua para fundirse. Elena, que hasta ese momento había procurado ser indiferente hacia él, no tenía idea de que estaba a punto de entrar en una crisis existencial. Ilán había llegado para despertarla a su noche oscura del alma.

71

Ilán había llegado para despertarla a su noche oscura del alma.

En el instante que pronunció esas palabras y le confesó a Ilán que había soñado con él, un velo se corrió de sus ojos. Ya no podía hacerse indiferente, su alma ya había reconocido a este ser y no le iba a permitir que lo olvidara.

Desde ese día en adelante, Elena ya no evitaba interaccionar con Ilán, quería conversar y conocerlo. Él no solo la saludaba en las mañanas, sino que, de vez en cuando, iba a su área de trabajo a visitarla, interaccionaban a lo largo del día, él venía a visitarla en otros momentos para hacerle travesuras con tal de llamar su atención. La situación prometía complicarse cuando entre ellos fue creciendo el interés de pasar más tiempo juntos, había mucha química y tenían que hacer un gran esfuerzo para no pasarse de la raya. Agraciadamente para Elena, pero no para Ilán, los proyectos que tenía a cargo se quedaron sin fondos y él fue despedido al cabo de dos meses del sueño que tuvo Elena. Esto puso distancia física para ambos, pero no distancia emocional para Elena. Quería entender más sobre esta conexión tan fuerte que sentía. No ver a Ilán todos los días fue un alivio y un suplicio. Seguía teniendo sueños con él, ninguno igual que el primero, pero sí cargados de mucha simbología y, en ocasiones, de carácter premonitorio. A través de los sueños podía saber cómo se encontraba él.

Eran tiempos de mucha confusión y de sentimientos encontrados para ella. En una sesión con Rosa –con quien se seguía atendiendo en su práctica privada– le pidió guía sobre lo que estaba viviendo a través de un ejercicio de constelaciones que Rosa facilitó para que Elena pudiera entender de dónde venía la conexión con Ilán. Ella le explicó que pertenecemos a un grupo de almas y que seguramente Ilán era una de ellas. El trabajo de constelaciones nos permite mirar nuestra red de vínculos tanto a nivel del sistema familiar como a nivel sistémico y álmico. Aunque Ilán no estuviera presente en cuerpo físico, a través de la constelación se colocó un elemento que lo representara para anclar su energía. Cuando Rosa la dirigió al ejercicio, Elena fue sintiendo que se fundía con la energía de Ilán como si fueran uno solo; sentía que se expandía mucho más allá de su cuerpo físico como si no hubiera manera de contener tanta energía. Lloró y lloró como si hubiese encontrado una parte perdida de sí misma. Sentía que había llegado a «casa», a donde verdaderamente pertenecía, no su cuerpo físico, sino su esencia misma. Fue la confirmación de que en efecto tenían una conexión de almas.

«¿Y ahora qué? ¡Qué rayos voy a hacer con esto!», pensó Elena.

El ejercicio la dejó conmovida y a la vez estremecida. Rosa le explicó que si había llegado a su vida era con un propósito, que si así lo sentía, mantuviera la amistad para cultivarla, ya que una conexión de este nivel no se encuentra todos los días.

La desconexión con su esposo Hazel había estado creciendo a pasos agigantados ya desde antes de conocer a Ilán. Elena no se sentía atendida por él ni que la relación fuera su prioridad. Ella creyó que Hazel sería el hombre que la protegería y la cuidaría, era un anhelo de su niña interna. Sin embargo, Hazel relegaba en ella las decisiones importantes, el manejo del dinero, de la casa, le decía: «Lo haces mejor, encárgate tú». Elena lo resintió, se suponía que lo hicieran juntos, que no le tocara toda la carga solo a ella. En el fondo él no quería involucrarse, le resultaba más cómodo, ya que era el modelo que había vivido en su hogar. Poco a poco, Hazel se volvió más un hijo que una pareja... y ella se volvió más una madre que una mujer a su lado.

Al pasar de los años, Ilán y Elena se comunicaban de manera esporádica, pero para ella la conexión nunca desapareció, al contrario, se hizo más intensa. Se refugió en aprender nuevas herramientas y, sobre todo, en autoconocerse. Durante este tiempo se dedicó a estudiar sobre metafísica, astrología, numerología, interpretación de sueños, cábala y más, con el fin de encontrar respuestas. A este punto en el camino, Elena estaba clara que había crecido en una dirección muy diferente a la de quien era su esposo y esa distancia se fue acrecentando con los años. Estaba andando un camino personal que no tenía marcha atrás, nada ni nadie podía detener esta búsqueda. Estaba caminando, sin saberlo aún, hacia su propio encuentro.

Al cabo de cinco años de haberlo conocido, acordó con Ilán encontrarse para almorzar y ponerse al día. Se había casado, tal como Elena lo vio en uno de sus sueños premonitorios y, para su sorpresa, recién se había separado. En la conversación ella le contó a Ilán lo infeliz que se sentía en su matrimonio y que anhelaba imaginar que su vida fuera diferente de lo que estaba viviendo. Nuevamente, Ilán sirvió de despertador para ella cuando le dijo:

—Eres tú quien tiene que creer que tu vida puede ser diferente.

En ese instante, como si sus palabras hubiesen servido como decreto, Elena vio por primera vez un mar de posibilidades que se abrían ante ella, solo tenía que elegir.

Ella había buscado ayuda profesional para trabajar su matrimonio y el tema del alcoholismo de su esposo, pero no tuvo éxito. Una parte de ella se había resignado, otra tenía miedo a dejar el matrimonio, el tema del dinero, quedarse sola y, además, le provocaba vergüenza de solo imaginar lo que su familia, amigos y conocidos iban a pensar. Las palabras de Ilán la hicieron entender que hasta ese momento se había asegurado en no defraudar las expectativas de su entorno y que en el proceso se había olvidado de ella. Tenía que tomar decisiones que la pusieran en el primer lugar en su vida. Mientras se preocupaba por lo que otros pensaran, no se iba a mover y hoy seguiría muerta en vida. No fue fácil tomar la decisión, buscó ayuda, apoyo, se orientó para hacerlo de la manera más sana y amistosa posible.

Tenía que tomar decisiones que la pusieran en el primer lugar en su vida.

A las dos semanas de esa conversación con Ilán, Elena estaba decidida y dio el paso de coraje. Desde mucho antes, ella había reconocido que no quería seguir en esta relación. Él estaba atrapado en su adicción, sin reconocerlo y, por lo tanto, sin querer atenderlo como un problema que estaba afectando la relación. Cuando le dijo a Hazel que necesitaban

75

hablar, lo hicieron en armonía, conversaron un largo rato hasta que él mismo propuso que se separaran. Elena estaba sorprendida, pero aliviada. Pudieron tomar las decisiones adecuadas de manera amigable y amable para ambos. Se agradecieron mutuamente el tiempo compartido, lloraron juntos y dieron por terminada la relación. Alucinante darse cuenta de que, en el fondo, él también estaba listo para esta decisión, aunque nunca se hubiese atrevido a dar el primer paso.

¡Qué difícil fue para Elena cuando llegó el momento de anunciarle a su familia que se había separado! Tener que enfrentar este momento había sido uno de los frenos para tomar la decisión. La gran sorpresa fue que, al dar la noticia su familia y amigos, aunque apenados, se desbordaron en comentarios de por qué no lo había hecho antes, que ya veían eso venir entre ellos. Su entorno la apoyó y celebró su decisión. Ella estaba tan preocupada por lo que sintieran o pensaran los otros y a ellos les pareció la cosa más normal; sí, ese mismo entorno al que ella temía defraudar. **Desde ese momento, aprendió que las decisiones sobre su vida eran solo de ella. Su vida, sus decisiones.** Ella estaba decidida a ser la arquitecta de su vida.

Ella estaba decidida a ser la arquitecta de su vida.

En menos de dos semanas luego de la separación y aún sin saber cómo se sostendría económicamente, le hicieron una oferta de trabajo con una paga espectacular. Esos seis meses recibió el dinero que necesitaba para saldar las deudas que habían contraído juntos y habían acordado dividir. Tuvo que trabajar duro porque era algo nuevo, sin embargo, la satisfacción y el nivel de libertad que esta oportunidad le dio, lo ameritaba. Para ella fue la señal de que la decisión que había tomado de darle un nuevo rumbo a su vida era la correcta.

El mayor aprendizaje de vida en esa época para Elena fue darse cuenta de que estaba cumpliendo con los mandatos familiares, sociales y religiosos. Hasta entonces, había sido prisionera de las expectativas de los otros. Se sentía sin alegría, insatisfecha y vacía. Estaba siguiendo un guion que no había sido escrito por ella y estaba pagando un alto precio. El Universo, la Fuente Divina, Dios la estaban apoyando por haber tenido la valentía de tomar la mejor decisión para ella, actuaba en coherencia con lo que verdaderamente deseaba. Además de ser un acto de coraje, fue un momento «pivotal» en su vida. Una nueva versión de sí comenzó a emerger. Una vez divorciada, Elena sintió un gran alivio, el camino de libertad que tanto anhelaba se abría ante ella, reconociendo que Hazel también merecía ser feliz. Llevaba años sintiendo que su lugar no era en ese matrimonio. De algo estaba segura, era peor la soledad que sentía en compañía de su esposo. **No hay peor soledad que la que se vive acompañada.**

> **Hasta entonces, había sido prisionera de las expectativas de los otros. Se sentía sin alegría, insatisfecha y vacía. Estaba siguiendo un guion que no había sido escrito por ella y estaba pagando un alto precio.**

Elena se hizo consciente de que la verdadera fuente de su infelicidad tenía que ver con todo el dolor no procesado, el trauma y el bagaje emocional que había metido en una caja que cerró con candado en el rincón más alejado de su corazón. Le tocaba enfrentar el miedo inconsciente al abandono nuevamente y, para ello, le tocaba dejar de vivir en un lugar solitario. El hueco de su corazón, que venía sintiendo a rastras, no lo pudo llenar quien fue su esposo ni ninguna otra persona tampoco podría hacerlo. Su vacío e infelicidad provenía de su interior.

El hueco de su corazón, que venía sintiendo a rastras, no lo pudo llenar quien fue su esposo ni ninguna otra persona tampoco podría hacerlo. Su vacío e infelicidad provenía de su interior.

Encender el sol interno

Si notas que te cuesta comenzar algo o que no tienes la disciplina para sostener nuevos hábitos o incluso tomar decisiones importantes de tu vida, tu fuego interno está apagado. El poder personal es como una fogata que si no la mantienes encendida, se apaga. Requiere atención y acción constante. Generalmente se toma la acción cuando ya se está al borde del precipicio, el médico te dice que tienes que ejercitarte, no te sirve la ropa, te despiden de manera sorpresiva, tu pareja termina la relación. La realidad es que, a veces, se necesitan esas «patadas» para salir de la inercia.

Experimentar alguna situación límite te mueve por una acción externa, pero es muy diferente cuando eres tú quien decides moverte por una motivación personal desde un espacio interno de poder. ¿Dónde se encuentra tu fuerza de voluntad?, ¿dónde estás poniendo la acción?, ¿haces lo que «predicas»? Hay que poner la palabra en la acción y la acción en la palabra. El cambio se logra al mantener la constancia y esta se sostiene con la disciplina.

Observa qué es lo más que te cuesta hacer: ¿establecer un hábito o sostenerlo?, ¿tomar una decisión o manejar sus consecuencias?, ¿dar el paso es lo que te detiene o es la incertidumbre de lo que ocurra luego? El poder personal suele estar muy relacionado a la autoimagen la cual resulta en un punto de mucha debilidad porque se compara el valor personal en relación a cómo crees que los otros te ven versus cómo te ves a ti misma. La seguridad en ti misma viene del ejercicio continuo de confiar en tus capacidades, de honrar tus límites y darte la prioridad en tu propia vida.

No te crees más que nadie, pero tampoco menos, porque conoces tu valor y lo honras.

> **La seguridad en ti misma viene del ejercicio continuo de confiar en tus capacidades, de honrar tus límites y darte la prioridad en tu propia vida.**

¿Qué has dejado de hacer o decir por evitar incomodar?, ¿cuán frecuentemente sientes que no dices lo que necesitas y, cuando te atreves a decirlo, no obtienes lo que querías? Al no sentirte validada en tus necesidades, te sientes invisible. Permites la transgresión de tus límites porque no te conoces y andas como veleta siguiendo lo que otros dictaminan sobre ti. **Aprender a establecer límites saludables y claros es un gran reto, pero de esto depende que tus necesidades físicas y emocionales estén cubiertas.** Si esperas que otros los respeten prepárate para una gran desilusión. No depende de nadie, solo de ti. El otro va a entrar en tu espacio personal en la medida que tú lo permitas y tú vas a recibir del otro en la medida que lo aceptes. Aprende a hacer las paces con que al otro no le guste el límite que estás estableciendo. Puede que lo respete o que no y eso es información para ti sobre la relación. **No se trata de exigirle a otro que haga o deje de hacer por ti, se trata de autocuidarte, reconocer dónde eres honrada y dónde no.**

Alimenta tu fuego interno cumpliendo con lo que te propones, un paso a la vez, y luego otro y otro, pero, sobre todo, no te detengas. Te invito a identificar tres decisiones importantes que has postergado, define lo que te ha detenido hasta ahora y establece cuál podría ser ese primer paso.

Reto: *Fortalece tu poder personal y voluntad*

Por el afán de querer ser aceptados, se puede caer en la situación de amoldarse a las necesidades del otro con tal de no llevar la contraria para evitar el conflicto. Decidir trabajar y establecer tus límites es un acto de empoderamiento y amor propio. En el libro, *Setting boundaries will set you free*, su autora y «coach» de vida, Nancy Levin, explica que cuando finalmente das la vuelta a tus historias de víctima y asumes la responsabilidad de tus límites, te empoderas al ver que hay opciones disponibles para ti que quizás no habías visto antes. Entonces, depende de ti tomar esas decisiones. **No es posible que una relación sea cien por ciento armoniosa, si es así, una de las partes o ambos están reprimiendo. No puedes pretender estar de acuerdo en absolutamente todo con los otros, pero tampoco significa que tengas que estar en lucha por defenderte.** Significa reconocer que esto es así y que no pasa nada si hay desacuerdos, siempre y cuando sea desde un lugar de respeto mutuo, de llegar a los acuerdos que sean necesarios para sostener la relación, si ambas partes así lo deciden.

Si estás poniendo las necesidades de otros por encima de las tuyas, estás cediendo tu poder personal. Generalmente, es con la familia con quienes primero se necesita establecer la primera línea de límites y quizás sea la más difícil. Establecer límites puede ser sumamente desafiante, sobre todo, cuando nunca lo has hecho o cuando son personas muy cercanas a ti porque hay un miedo subyacente de herir a la otra persona si le dejas saber tu verdadero sentir. Evitar la incomodidad momentánea que puede presentar poner el límite, conlleva prolongar esa incomodidad indefinidamente. Se arriesga a que llegue el tiempo en que se haga insostenible y, en vez de atenderlo de manera asertiva, se vuelve una bomba de tiempo que puede estallar a la menor provocación.

> **Evitar la incomodidad momentánea que puede presentar poner el límite, conlleva prolongar esa incomodidad indefinidamente.**

Te invito a identificar quiénes son esas personas en tu vida, cuál es el tipo de situaciones que se repiten y qué te cuesta decir «no» para establecer un límite claro y sano. Independientemente de lo que la otra persona quiera o necesite, tienes que sintonizar primero con tu necesidad para cubrirla. Lograr establecer límites viene de la decisión y la acción de honrar tus necesidades antes de cubrir las ajenas. Una vez te ocupas de ti, puedes entonces ocuparte de los otros desde un lugar de empoderamiento.

Para poder establecer límites, necesitas conocer qué es lo que verdaderamente deseas. Si no obtienes lo que deseas, es porque no lo has sabido expresar. Te aseguro que si lo atiendes de manera proactiva, puede llegar a ser muy liberador.

Conoce tus necesidades, son tu brújula.

Define lo que es aceptable y lo que no es negociable para ti.

Antes de responder, sintoniza con tu cuerpo: es tu mejor guía para saber si es un «sí» o un «no».

Test:

Con total honestidad, asígnale un número a las siguientes aseveraciones según esta escala:

1 = Nunca / Totalmente en desacuerdo

2 = No a menudo / En desacuerdo

3 = A veces / Quizás

4 = A menudo / De acuerdo

5 = Siempre / Totalmente de acuerdo

■ **Tengo confianza en mí misma y en mis decisiones.**

1   2   3   4   5

■ **No me preocupa lo que otros piensen de mí.**

1   2   3   4   5

■ **Tengo un fuerte sentido de poder personal.**

1   2   3   4   5

■ **Me propongo metas y las cumplo.**

1   2   3   4   5

Tu Carrera o Negocio

■ **No me permito sentirme como víctima.**

1   2   3   4   5

■ **Tengo una buena autoestima.**

1   2   3   4   5

■ **Acepto la responsabilidad de mis actos.**

1   2   3   4   5

■ **Me siento cómoda tomando riesgos.**

1   2   3   4   5

■ **Puedo reconocer y celebrar mis propios logros.**

1   2   3   4   5

Suma la puntuación de cada una de las aseveraciones.

Total:

Carrera o negocio

¿Cuánto te afectan las expectativas que otros tienen sobre ti?, ¿de qué manera ha condicionado tu vida? Seguir los mandatos de otros para tu vida tiene un alto precio: no serte fiel a ti misma. Cuando te sometes a los deseos de otros para ti y no eliges tu camino propio de manera consciente, eres como una sirviente. Andas a ciegas, inconforme, infeliz, sin tomar las riendas de tu vida contrario a elegir lo que tú deseas. Cuando eliges por ti y para ti, puedes recibir del entorno críticas, burlas e incomprensión, sin embargo, esto es solo nimiedades al compararlo con la satisfacción de cumplir tus propios anhelos.

¿De qué trabajo, relación o circunstancia ya estás lista para moverte?, ¿qué te frena? Para moverte en la dirección de lo que deseas, se requiere fuerza de voluntad y valor. El miedo a equivocarte, a hacerlo diferente a lo que tú crees que esperan de ti, tiene un efecto paralizante. Sentirte capaz de lograr lo que te propongas viene de un lugar de seguridad en ti misma que muchas veces está apagado. Cuando vives conectada a tu poder personal, eliges sin temor a ser rechazada, tienes la capacidad de establecer límites saludables y tienes plena confianza en ti misma.

¿Te dedicas a tu profesión por obligación o por vocación?, ¿te atreves a hacer algo diferente? Quizás estudiaste lo que te dijeron que debías, lo que te haría ganar más dinero o no te dieron otra opción. Es posible que no te sientas alineada con tu trabajo y vives drenada gastando tu energía en algo que no sostiene la visión de la vida que anhelas. Llevas un tiempo soñando hacer algo diferente a lo que te dedicas y sientes que tus dones no van a la par con tu profesión. Tal vez no conocías o no existía a lo que te quieres dedicar. No tiene por qué estar escrito en piedra lo que haces con tu vida, puedes cambiar de rumbo cuantas veces lo desees, no desde el capricho, sino desde la profunda sintonía que tienes contigo misma.

En mi experiencia, el entorno laboral es el lugar donde las mujeres se ven más retadas en sostener su poder personal. Sobre todo, si es un ambiente dominado por hombres o por mujeres con una fuerte energía masculina, te puedes encontrar en una lucha constante por hacer valer tu voz y tus capacidades. No sentirte capaz viene de un lugar de baja autoestima que reflejas hacia tu exterior. La autoestima viene de cómo te valoras a ti misma, no viene de la validación externa, la generas y la sostienes en tu interior. **Para reconectar con tu valor, comienza reconociendo lo que has logrado hasta el día de hoy y celébrate.**

¿En qué eres buena, en qué te destacas?, ¿qué te enciende, qué te apasiona? Descubre lo que te ilumina. Cuando estás en esa sintonía, brillas porque la luz se está generando desde tu interior. Actúas irradiando tu propia luz porque eres fiel a tu camino y tus propias decisiones. Lograr combinar lo que te apasiona, tus talentos y tu propósito te da el poder de emprender y manifestar una mejor vida para ti.

> «(...) *porque veo al final de mi rudo camino que yo fui el arquitecto de mi propio destino(...)*».
> —Amado Nervo, poeta mexicano

Oportunidad: **Define tu identidad**

Los dolores de crecimiento son parte del proceso de cambio, es la evidencia de que está ocurriendo una transformación. La etapa de la vida en que esto es más evidente es en la adolescencia, el cuerpo cambia, se estira y se desarrolla, y también emerge la identidad propia. Ahora, en la adultez, no será tu cuerpo físico, pero sí tu cuerpo mental con las limitaciones que se han cristalizado y que es necesario romper para que se expanda tu mente a nuevas perspectivas y puedas definir nuevos rumbos.

¿Eres tu peor enemiga? Lo eres cuando te autocriticas, te infliges latigazos con palabras hirientes, te degradas, te menosprecias y aun así pretendes sentirte bien contigo misma. Así no es posible. Quizás no tuviste el modelaje en tu niñez al no escuchar a las mujeres adultas que te rodeaban hablar positivamente sobre su apariencia. Si eso aprendiste, eso continúas haciendo porque es la programación que quedó grabada. Independientemente de la opinión de otros, ¿cómo te ves a ti misma? Conquista tus diálogos internos, cambia cómo te hablas y deja de compararte. Tus células te están escuchando, lo que pienses de ti y declares con tu voz así será. El pensamiento es creador, lo que creas que eres, eso es lo que vas a crear en tu vida. Escucha cómo te hablas, cuando te des cuenta, haz una pausa y reflexiona sobre lo que te dices. Por ejemplo: *es muy difícil, no soy capaz, no estoy preparada*, todo me sale mal, etcétera.

Conquista tus diálogos internos, cambia cómo te hablas y deja de compararte.

Define cuáles son tus limitaciones mentales y háblate diferente. Si lo logras atender y corregir, vas a llegar a una transformación tan grande que cuando a alguien se le ocurra hablarte despectivamente, número uno, no le vas a creer y, número dos, no se lo vas a permitir.

Estoy alineada con mi propósito de vida, ser feliz, amando lo que hago y haciendo lo que amo.

Mensaje del Árbol Sabio:

Crece con fuerza propia, erguida, hacia tus anhelos y deseos. Suelta la vergüenza de ser diferente, atrévete a brillar con luz propia.

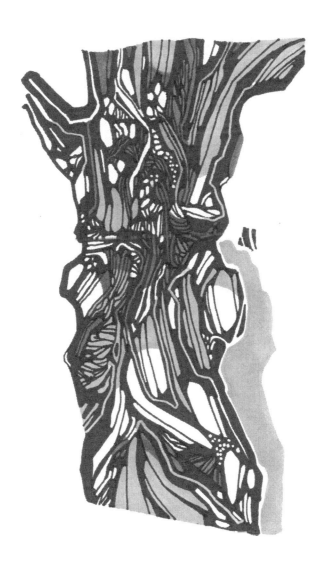

IV.

Las ramas son la parte del árbol en la que crecen las hojas. Estas estructuras de madera están conectadas al tronco central, más no forman parte de este. Cumplen con una función muy importante dentro del árbol: dentro de ellas circulan los nutrientes que hacen brotar las hojas, la flores y los frutos del árbol. A la vez, nos hablan de expansión al crecer hacia diferentes direcciones.

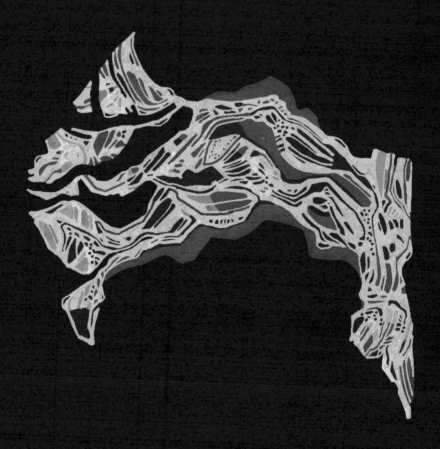

Ramas

Antes de casarse, Elena le advirtió a Hazel, su futuro esposo, que no quería ser madre. Él ya tenía un hijo pequeño y estuvo conforme con ello. Mientras estuvieron casados, nunca le dijo a Elena lo contrario, nunca trató de convencerla ni de pedirle que tuvieran un hijo juntos. Cada mes, Elena se alegraba y sentía alivio cuando le llegaba su menstruación, lo cual significaba que se había librado de embarazarse. Vivía una gran lucha interna entre el miedo a un embarazo y querer disfrutar su sexualidad, ya que solo de ella dependía ocuparse de evitar un embarazo. Le aterraba tanto la idea que, si en algún momento se le retrasaba la menstruación, entraba en pánico y no tenía paz hasta que llegara su sangre mensual. «¿Por qué no quieres ser madre si es lo más bello que te puede pasar en la vida?», comentarios como este le decían a Elena si cometía el error de comentarle a algún conocido su decisión. Una mujer sin hijos está bajo la lupa de la sociedad, se cree que hay algo mal en ella, se le cuestiona su valor como mujer. Elena se enfrentó con este tipo de juicios, pero poco le importó. Ahora, no solo porque no lo deseaba, además, por el problema de alcoholismo de Hazel.

Se la pasó todo su matrimonio evitando un embarazo y, sin embargo, al cabo de un mes de su divorcio despertó en ella un profundo anhelo de ser madre. Para añadir a lo absurdo de sentirse así, a la par comenzó a percibir la sensación de que la acompañaba la energía de un bebé, ya que podía sentir su presencia. A medida que fue afinando su percepción, comenzó a hacerse más tangible esta presencia al punto que sentía que se comunicaba con ella. Sin saber cómo, sabía que era el espíritu de un bebé que quería que ella fuese su madre. Luego de cuestionarse si se estaba volviendo loca, se le ocurrió buscar en internet para saber si alguien más había experimentado algo semejante. Sintió un gran alivio al confirmar que no se estaba volviendo loca cuando encontró un libro llamado *Spirit Babies*, que explicaba lo que ella estaba experimentando y contestó todas sus interrogantes. El autor de este libro, Walter Makichen, era un hombre clarividente que por más de veinte años se dedicó a ayudar a futuros padres a comunicarse con el alma de los bebés que estaban por concebir o incluso casos de pérdidas espontáneas o de abortos. En el libro había muchos testimonios de experiencias similares a la de Elena, tener sueños, sentir la energía y la comunicación telepática.

A quien único tenía en su mente y en su corazón era a Ilán. Elena tenía la certeza de que él debía ser el padre. ¿Qué iba a hacer? A él no le interesaba una relación con ella, no porque se lo dijera con palabras, sino con su ausencia y silencio. Una vez divorciada, Ilán se alejó de ella. Aunque albergaba la esperanza de un futuro cercano juntos, era evidente que él no estaba en la misma sintonía.

Elena buscó la ayuda de su maestra espiritual, Rosa, a quien único se atrevía contarle la locura de lo que le estaba atravesando. Rosa le recomendó que recurriera a la terapia de regresión. Elena llevaba años leyendo sobre vidas pasadas y el efecto que pueden tener los temas no resueltos en la vida presente. Aunque era algo que había querido experimentar desde hace tiempo, no había dado con la persona que le hiciera clic. Como se había tomado tan en serio el tema de ser madre y de tener este bebé, decidió visitar un centro de parteras y «doulas» para prepararse y fue en esta visita que escuchó por primera vez a Amarilis. Ella explicaba cómo ayudaba a las madres o futuras madres a superar traumas relacionados con la maternidad a través de la terapia de regresión. Era con Amarilis con quien quería hacer la regresión, lo sintió de inmediato al escucharla hablar.

Al final de la actividad, se acercó a ella y le dijo que quería una cita. Amarilis era psicoterapeuta regresiva y, tal como le explicó, su trabajo consistía en llevar a la persona a un estado de consciencia expansivo mientras se mantiene el estado de consciencia en el presente. La expansión de la consciencia significa tener consciencia del aquí y ahora al mismo tiempo que se tiene consciencia en otra dimensión. Al encontrarse la persona con su consciencia expandida, se produce el encuentro con su alma. En ese estado, no existe el tiempo. Todas las experiencias están en el alma al mismo tiempo y es el alma quien revisa sus experiencias pasadas y trabaja con ellas hasta desprenderse de las energías emocionales que la perturban. En este estado es posible mirar la experiencia traumática y liberarla.

Al cabo de una semana, Elena estaba en el lugar y la hora indicada para su primera cita con Amarilis. Llegó primero que ella, entró al espacio y se percató que había un grupo de personas reunidas. Amarilis estaba retrasada, así que se sentó en un rincón a esperar que llegara. Mientras lo hacía, fue inevitable escuchar lo que hablaban estas personas. Era un grupo de apoyo para madres que habían perdido a sus bebés en el vientre o ya nacidos. Sin que el tema le afectara racionalmente ni por que se sintiera identificada, Elena rompió en llanto sin entender qué le ocurría. Estaba sola en su rincón así que nadie la veía, trató de contener las lágrimas, pero no pudo. Apenas justo antes de que llegara Amarilis, logró calmarse. Ninguna de las dos sabía que este grupo estaría reunido al momento de la cita. Luego del saludo, Amarilis le dijo: «Esto no es casualidad».

Pasaron al espacio privado donde tendrían la sesión. Elena se puso tan cómoda como pudo, entre las emociones alborotadas y los nervios de no saber qué le esperaba ni cómo sería el proceso. Amarilis comenzó la entrevista para entender lo que Elena quería trabajar, quien comenzó a explicarle, entre llanto y sollozo, lo que estaba viviendo y cómo la situación se había vuelto muy difícil por estar sintiendo la presencia del espíritu de este bebé. Amarilis escuchó pacientemente y sin espantarse. Nada de lo que le dijo Elena lo puso en duda ni emitió juicio, esto le brindó mucha confianza y seguridad. Elena se acostó en una camilla, Amarilis le cubrió los ojos con un paño y comenzó el proceso. Con su voz la fue dirigiendo a dejarse llevar al momento que apareciera ante ella.

Casi de inmediato, Elena sintió que estaba corriendo, huía de algo o de alguien. Podía sentirlo y describirlo como si estuviera viviendo en tiempo real. Amarilis la guio a que fuera avanzando en la escena hasta llegar al porqué la perseguían. Sintió su vientre, estaba embarazada y huía de unos soldados, finalmente la acorralaron y ella cayó desplomada al suelo. Tirada en el suelo con todas las miradas y amenazas de los soldados sobre ella, comenzó a sentir los dolores de parto, nadie la ayudaba. Así, tirada en el suelo dio a luz en esas condiciones, y con dolor desgarrador observó cómo alguien le quitaba su bebé, mientras ella se desangraba sobre la tierra que se hacía cada vez más húmeda. Amarilis le pidió que mirara las caras de los soldados a ver si reconocía alguno. Lo vio, allí estaba Ilán, no era la cara de él, pero ella sabía que era la misma persona. Era uno más de los soldados y el padre de su bebé. Por la razón que Elena no pudo entender, no se suponía que ellos estuvieran juntos como pareja; lo que sí comprendió es que estaban enamorados y se veían en secreto. Aún bajo estas circunstancias, él seguía las órdenes como buen soldado obediente, sin defenderla o protegerla. Elena comenzó a sentir que el cuerpo que habitada moría mientras veía a su bebé en brazos del padre. Dentro de lo horrible de la situación, sintió alivio, ya que sabía que él lo cuidaría, a la vez, la sobrecogió un dolor inmenso por la traición del hombre amado y la separación de su bebé. Poco a poco, fue sintiendo cómo su alma salía de ese cuerpo y podía mirar la escena desde arriba. Por primera vez, Elena tuvo la certeza de que la muerte es solo una transición, que el cuerpo físico queda sin vida, pero el alma, la esencia permanece junto con la memoria.

Una vez fuera de su cuerpo, Amarilis la llevó a identificar cuáles habían sido las lecciones de esa vida y de qué manera estaba relacionada con lo que estaba viviendo en la vida presente. Elena logró recobrar la parte de ella que se había quedado en el trauma y el dolor de la separación y el abandono. Fue alucinante y liberadora la experiencia.

Esta fue la primera de cinco regresiones que hicieron en cinco semanas corridas. Elena sentía la urgencia de llegar a la raíz de la angustia que la sobrecogía y, a la par, decidida a prepararse para la maternidad. Las próximas tres regresiones en diferentes escenarios y tiempos cronológicos fueron todas experiencias traumáticas de pérdidas de bebés junto con la pérdida del hombre que amaba. En todas, el mismo personaje: Ilán. Ya sabía que era parte de su familia de almas, ya sabía que venían compartiendo juntos en varias vidas, ¡qué más faltaría por conocer!

La quinta regresión fue diferente, esta vez Elena llegó al momento que le tocaba a ella nacer en esta vida. Amarilis le pidió que le describiera lo que sucedía en el instante del parto.

    –Me están diciendo que tengo que salir, yo no quiero salir –Elena le dijo.

    –¿Quién te lo dice? –preguntó Amarilis.

    –Ellos... mis guías –dijo Elena

    –¿Y por qué no quieres nacer? –dijo Amarilis.

    –Por qué tendría que aceptar... –irrumpe en llanto– ...tendría que aceptar ser madre en esta vida y yo no quiero.

Se adelantan en la escena al momento del parto cuando Elena ya está naciendo. Amarilis le pregunta qué finalmente la hizo decidirse a nacer.

    –Para verlo a él –respondió Elena ahogada en llanto.

Ilán fue con quien único Elena había sentido el deseo de ser madre en toda su vida, había aceptado la maternidad aun con todas las memorias traumáticas y dolorosas que cargaba con tal de volver a estar cerca de él. Nacer había significado aceptar ese destino sin la certeza de que fuera a ocurrir.

Una vez completó este proceso con Amarilis, la intensidad de sentir la presencia del bebé fue menguando, y fue encontrando paz con el tema. Era evidente que había aceptado el acuerdo de ser madre en esta vida, que finalmente sucediera ya no dependía de ella. Este fue solo uno de los tantos temas que se destaparon para Elena en los siguientes años.

En vista de que una relación de pareja con Ilán no era posible, Elena se dio la oportunidad de abrirse a otras posibilidades. Quería estar en pareja, por mucho que disfrutara su espacio y de su tiempo a solas, ese anhelo profundo lo tenía todo el tiempo muy presente.

El peor engaño al que Elena se sometió fue pensar que estaba lista para otra relación de pareja. Cuando comenzó a relacionarse nuevamente con hombres, se repitió el patrón: hombres con problemas de alcoholismo, incapaces de conectar emocionalmente, no dispuestos a relacionarse desde el compromiso de estar presentes. En fin, hombres que le tocaban una y otra vez la herida del abandono. Incluso Ilán traía el mismo patrón, pero Elena creía que la relación era tan especial que con ella sería diferente. Ambos estaban al fin disponibles para iniciar una relación, solo que eso no era lo que le interesaba a él por mucho que esto le doliera a Elena.

Ella creía que el problema eran estos hombres, incapaces de abrir sus corazones. Sin embargo, le tocó descubrir que era ella quien los atraía a su vida como evidencia de que no había sanado sus propios traumas y heridas; ellos eran sus espejos.

Cuenta la mitología que Narciso vio su reflejo en el agua de un estanque y se enamoró de sí mismo. Incapaz de separarse de su reflejo, cayó en el agua y se ahogó. A la vida de Elena llegaron tres Narcisos, a tres tiempos en el lapso de ocho años.

Los Narcisos en la vida de Elena fueron tres hombres ensimismados e incapaces de abrirse a una conexión y relación de pareja sana, el mayor anhelo de ella. El primer Narciso fue para Elena como una boya que encuentras en medio del mar y te aferras a ella para no ahogarte. Era la primera relación romántica que tuvo dos años luego de su divorcio y volcó en esta las carencias afectivas que venía arrastrando. Con Narciso I tenía una historia inconclusa de su adolescencia, y eso provocó en ella una falsa ilusión. No vio lo que tenía frente a ella, sino lo que creía que podía recuperar. No se dio tiempo de conocer realmente quién era este hombre en el presente, en vez, se ilusionó con la idea que ella tenía en su cabeza. Se hizo la sorda y la ciega a lo que era evidente desde el comienzo. Repetía el patrón atrayendo a una pareja desconectada emocionalmente.

Se hizo la sorda y la ciega a lo que era evidente desde el comienzo.

Elena seguía buscando que el otro se encargara de sus necesidades emocionales y de afecto. Hacía el mayor esfuerzo por ser escogida y esto provocaba que se olvidara de ella, de sus intereses, de sus necesidades, todo era para el otro, para complacerlo, adaptarse, aceptar y callar. Dar sin que la otra parte tenga la capacidad afectiva de recibir o de reciprocar ese intercambio es fútil. Esto no es sostenible para ninguna de las partes. Cuando Narciso I comenzó a mostrar señales de retraimiento, Elena más se aferraba. Hasta que llegó el día en que él puso fin a la relación de tres meses de altas y bajas.

> ## Dar sin que la otra parte tenga la capacidad afectiva de recibir o de reciprocar ese intercambio es fútil.

Al cabo de los meses, Elena se sentía muy perdida y triste, no podía olvidarse de Narciso I y la piel de sus senos se había brotado en una dermatitis severa. En este tiempo, había comenzado a compartir con un grupo que estudiaba los arquetipos universales desde la espiritualidad. Fue cuando descubrió que ella también cargaba una programación de adicción, por lo cual atraía parejas con adicciones. La adicción es el resultado de querer llenar un gran vacío. Aquello que se continúa haciendo, aun sabiendo las consecuencias negativas, se considera un comportamiento adictivo. Descubrió que hay algo que le llaman «love addiction» o adicción al amor, gracias a la maestra del grupo quien lo hizo evidente a Elena.

El primer paso fue admitir que, en efecto, ella lo manifestaba, tenía las características, estaba volcando toda la carencia afectiva en la pareja. Así como un adicto recurre a una sustancia o comportamiento para llenar un vacío interno, esta adicción de carácter emocional busca en el otro el amor que no se es capaz de darse a sí misma. Se cree que en el otro está la clave para ser feliz y que va a llenar las necesidades afectivas, por lo cual se vive soñando con una pareja para que llene esas carencias. Inconscientemente, se busca llenar lo que faltó en algún momento de la vida infantil.

El siguiente paso para Elena fue educarse en el tema y comenzar a trabajarlo para sanarlo. La clave estaba en amarse a ella misma, en darse el amor que esperaba del exterior. Esto implicaba hacer cosas diferentes a las que ya hacía y, para esto, fue clave su práctica de yoga, ya que la ayudaba a manejar la complejidad emocional de lo que estaba viviendo. Conoció del yoga mientras estaba casada, pero luego de divorciada, inició una práctica regular con la cual aprendió a conectar con su cuerpo como un aliado. Moverse, respirar, calmar su mente, escuchar sus emociones y fortalecer su conexión espiritual fueron herramientas claves de esta práctica.

La clave estaba en amarse a ella misma, en darse el amor que esperaba del exterior.

Un día, en una de las clases, la instructora enseñaba un ejercicio de respiración que busca llenar a capacidad máxima de aire los pulmones y el diafragma. Se le llama respiración en tres partes. Durante el ejercicio, Elena notó que el aire no le llegaba a la parte alta de los pulmones. Además, había notado que cuando en otras clases pedían que se hiciera el «suspiro de enamorado», a ella no le salía. Este consiste en respirar hondo y soltar el aire con un suspiro. Al momento de compartir la experiencia, una de las compañeras compartió que el aire no le llegaba a la parte alta del pecho, Elena había experimentado lo mismo, así que prestó especial atención a lo que la instructora iba a explicar. Esta le preguntó a la chica, ¿has tenido alguna experiencia de traición o desamor en los últimos meses? A la vez que la chica está respondiendo de manera afirmativa, el cuerpo de Elena también respondió. Sin poder controlarlo y para su completa sorpresa estalló en llanto. La instructora explicó que la herida de traición se siente como una puñalada en el corazón y que, físicamente, el pecho se contrae como medida de protección y como consecuencia se reduce la capacidad de recibir aire en los pulmones.

En ese instante, y a partir de la explicación que dio la instructora, Elena comprendió que la falta de capacidad respiratoria, al igual que la dermatitis, provenía de una herida emocional. Estaba somatizando el dolor de la ruptura, especialmente con la dermatitis que le arropaba los senos, ya que en las mujeres los senos son una proyección energética del corazón, los cuales gritaban lo que su corazón amurallado callaba.

Elena estaba decidida a sanar este tema, llegó a la casa, se bañó y preparó su espacio de meditación como parte de su práctica de yoga. Ya tenía el conocimiento del trabajo con los chakras o centros energéticos, así que se dispuso a realizar una meditación y visualización guiada para el chakra del corazón que encontró en unos de sus libros. La meditación la guiaba hacia un castillo color rosa al cual debía adentrarse cruzando una pesada puerta. En su interior, sobre un pedestal, se encontraba su corazón y ella debía notar el estado del mismo. Elena lloró al ver su corazón hinchado, agrietado y sangrando, le dolió mucho verlo en ese estado, pero le tuvo todo el sentido. Luego, la invitaba a que con sus manos fuera sobre las heridas mientras irradiaba energía sanadora de amor para disolverlas. Un ser de luz se presentó ante ella para acompañarla mientras sanaba. Su corazón fue respondiendo, reduciendo la hinchazón y las partes lastimadas hasta que lo vio completamente sanado. En ese instante, y de manera espontánea, sus pulmones respondieron llenándose con una gran bocanada de aire; como hacía mucho tiempo no lograba, consiguió suspirar de nuevo.

Elena superó el dolor de la ruptura con Narciso I al comprender la lección que había traído a su vida, la mayor, la apertura de su corazón para amarse a ella misma.

Nuevos y maravillosos aprendizajes continuaban para Elena. El próximo: conectar con su voz desde su verdad.

Expandir tu capacidad de amar

Si en tu niñez tus necesidades afectivas fueron cubiertas, se te permitió el acceso al afecto libremente y, de igual manera, se respetaba tu espacio personal cuando lo necesitabas, probablemente desarrollaste un estilo de apego seguro en tus relaciones adultas. Estas son las personas que están presentes en la relación, que pueden manejar el conflicto en vías de encontrar una resolución y que expresan el afecto con vulnerabilidad y seguridad en sí mismas.

Si, por el contrario, viviste el afecto desde el exceso o la carencia, la historia es diferente. Si tus necesidades afectivas no fueron cubiertas en los momentos que más lo necesitabas, esa es la información que opera en ti bajo la creencia inconsciente de que tus necesidades nunca van a ser cubiertas.

Una persona que en su infancia sintió que tenía que proteger sus emociones o no tenía el permiso para expresarlas («los nenes no lloran», «cuando los adultos hablan, los niños callan»...) y que se sintió ajena al contacto emocional de sus cuidadores, puede haber desarrollado un estilo de **apego evasivo**. Carece de la capacidad de sostener un nivel de intimidad profundo y de expresar abiertamente sus emociones porque, al hacerlo, cree que puede desaparecer en el otro. Su mayor miedo es ser absorbida, ya que no está en contacto con su propio mundo emocional.

Por otra parte, si el afecto era como la marea, llegaba

y se iba sin tu control, entonces creciste creyendo –y así lo vives ahora– que cuando lo tienes, lo vas a perder. Aquel que tiene el estilo de **apego ansioso** tiende a perderse en el otro, busca fundirse porque cree que de esa manera siempre va a tener el afecto que necesita. Su mayor miedo es ser abandonado por lo cual hace todo por ser amado, incluso olvidarse de sí.

Esta programación se puede activar en cualquier momento, solo necesita un detonador que recuerde la herida primaria no sanada. Desde este lugar, se escapa o se sabotea lo que más se quiere. Se juega este juego de carencias y excesos hasta que se comprende que nadie te puede absorber y nadie te puede abandonar; que el amor que verdaderamente necesitas cultivar es hacia ti misma y, desde ahí, entonces, lo puedes compartir sin miedo. En el libro *Facing Love Addiction,* de Pia Mellody, puedes conocer más sobre las dinámicas que se generan en la interacción entre los estilos de apego y cómo identificarlos. La teoría de los apegos explica la manera en que se vivió el intercambio emocional con los cuidadores en la infancia y cómo esto se refleja en las relaciones en la adultez.

Andar por la vida con el corazón abierto no es tarea simple. El nivel de vulnerabilidad y empatía que se requiere es alto. Desde este lugar, se vive a pleno, saboreando los matices y el gozo de vivir, es cierto que conlleva una gran exposición, sin embargo, no hacerlo te hace vivir adormecida. La otra opción es ir por la vida pretendiendo tener el corazón abierto, pero lo triste de esto es que la más engañada resulta ser tú. Desde este lugar, se vive en un vacío existencial profundo porque no se puede sentir, te vuelves inerte, sobre todo, a dar y recibir amor en reciprocidad. Pretendes darlo, pero, en el fondo, no tienes la capacidad de ofrecerlo y mucho menos de recibirlo. Las heridas principales que bloquean este sano fluir son el dolor y la traición, que tienen la funesta capacidad de cerrar el corazón de manera instantánea generando una coraza de protección que trae, a su vez, aislamiento emocional.

Las relaciones sanas se basan en la reciprocidad desde el balance entre el dar y el recibir (excepto con mamá y papá). Observa qué estás permitiendo por miedo a establecer límites y a qué te estás negando por miedo a ser vulnerable. Además, ten en cuenta qué tipos de persona llegan a tu vida, identifica sus apegos afectivos antes de que entres en una relación íntima y caigas en una dinámica de «perseguir y huir».

Estilo de apegos

Estilo ansioso	Estilo seguro	Estilo evasivo
- Necesito constantes evidencias de afecto, persigo el amor. - Cuando estoy en una relación me pierdo, por eso busco fundirme en el otro.	- Tengo una buena autoestima. - Disfruto las relaciones íntimas y tengo capacidad de compromiso. - Tengo la habilidad de compartir mis sentimientos abiertamente.	- Siento ahogo cuando estoy en una relación, huyo del amor. - Si se acercan mucho, yo me alejo. Evado la intimidad y el compromiso. - Me da miedo que la otra persona me absorba.

- Me da miedo que me abandonen. - Hago mucho por el otro para que no se vaya.	- Gestiono mis emociones y comunico lo que necesito.	- Mantengo una barrera o me alejo primero.

Reto: **Observa a que te aferras**

Algunas personas piensan que el perdón es un regalo que se le da al otro, que es una manera de excusar sus acciones. Nada más lejos de la realidad. El perdón es un regalo que te haces a ti misma o, bien, te lo niegas. No tiene que ver con decir unas palabras y ya, viene de la profunda comprensión de que las cosas son como son, que no se puede cambiar lo que pasó, pero sí tu percepción de lo ocurrido. Ahí es donde radica el regalo, en el aprendizaje que trajo la persona o la experiencia a tu vida. Para que el perdón sea efectivo, hay que sanar la memoria del dolor que es la información que se queda en ti. Cuando comprendes el para qué de lo que has vivido, puedes dejar ir y liberarte porque has soltado el reproche de cómo querías que fueran las cosas. Si no vas a la raíz para sanarlo, se va a extender como ramas a todas tus relaciones interpersonales. Si sigues hablando de lo que pasó, de lo que te hicieron, de lo que no funcionó, de lo mucho que sufriste, no has perdonado. Si crees que eso ya no te importa, que puedes seguir tu vida como si nada, te estás engañando. Las evidencias de que algo no está bien las tienes a tu alrededor en las experiencias que sigues atrayendo y somatizando en tu cuerpo físico. Sanas cuando asumes tu responsabilidad y confías en la mayor fuerza sanadora que es el amor.

El perdón más difícil es el que te regalas a ti misma porque viene de la creencia de que pudo ser diferente, «qué tal si hubiera...», imaginando una y otra vez escenarios donde escogías o decidías algo diferente. El asunto es que actuaste de acuerdo con lo que sabías en ese momento, desde la distancia se tiene la claridad y comprensión. Suelta el autocastigo, es una carga muy pesada e innecesaria. Reflexiona sobre lo que pudo ser diferente en vías de lograr una transformación para que puedas escoger diferente.

La práctica del **Ho'oponopono**, que en hawaiano significa «enderezar lo torcido», trabaja precisamente con la comprensión y el reconocimiento de que una parte de ti ha sido la creadora de la experiencia por muy desagradable o dolorosa que parezca. Se practica repitiendo lo siguiente: lo siento, perdóname, te amo, gracias. Para hacerlo, primero necesitas entender qué significan para que las puedas repetir, no como el papagayo, sino desde la consciencia de borrar las memorias dolorosas como ser divino que eres. «Lo siento» por las memorias de dolor que tengo en mí y comparto contigo; «perdóname» por crearlas y asumo mi responsabilidad; «te amo» porque estoy escogiendo el amor por encima del miedo o el sufrimiento; «gracias» por la oportunidad de verlo y sanarlo. Puedes encontrar diferentes referencias y maneras de explicarlo, pero lo más importante es que te hace consciente de que, si lo eliges, puedes convertir en una oportunidad de sanación todo lo que llega a ti.

Te invito a que comiences a utilizar estas frases sanadoras en cosas sencillas del día a día, en vez de enfadarte ante una situación o una persona, repite la frase hasta que sientas armonía. Poco a poco, vas a notar cómo va cambiando tu percepción ante las situaciones y desde ahí lo puedes seguir aplicando a situaciones más complejas. Para profundizar en la técnica, te recomiendo el libro de la Dra. Carmen Martínez Tomás que se llama, precisamente, Ho'oponopono.

Test:

Con total honestidad, asígnale un número a las siguientes aseveraciones según esta escala:

1 = Nunca / Totalmente en desacuerdo
2 = No a menudo / En desacuerdo
3 = A veces / Quizás
4 = A menudo / De acuerdo
5 = Siempre / Totalmente de acuerdo

■ **Generalmente, soy una persona feliz.**

1   2   3   4   5

■ **Hago amigos fácilmente.**

1   2   3   4   5

■ **Sostengo relaciones románticas a largo plazo.**

1   2   3   4   5

■ **Perdono y olvido fácilmente.**

1   2   3   4   5

Tus Relaciones

- **No me considero una persona celosa ni posesiva.**

  1   2   3   4   5

- **Siento compasión hacia otros.**

  1   2   3   4   5

- **Creo que tengo el poder de sanarme a mí misma.**

  1   2   3   4   5

- **Soy compasiva hacia otras personas.**

  1   2   3   4   5

- **Estoy a gusto con mi vida amorosa.**

  1   2   3   4   5

Suma la puntuación de cada una de las aseveraciones.

Total:

Relaciones

¿Vives en conflicto constante con tus relaciones afectivas, con la familia, pareja o amistades? Las relaciones interpersonales son la mayor fuente de crecimiento y autoconocimiento, son los mejores espejos para mostrarte las heridas que cargas. Te relacionas contigo misma a través de las relaciones con los otros. Todo lo que te rodea te habla, comunica, te da información de ti. Cada experiencia, cada situación y cada persona que te encuentras en el camino de la vida es una oportunidad para descifrar un aprendizaje. Aprende cómo hacerlo para que puedas integrar esta información y utilizarla para tu crecimiento y desarrollo personal. A esto se le llama autoindagación.

Te conviertes en un ser consciente cuando puedes reconocer tus heridas, los detonadores que la activan y estás dispuesta a asumir la responsabilidad de atenderlas. Cada relación en tu vida está para mostrarte un aspecto de ti, te guste o no. El otro te sirve de espejo y sobre este proyectas tus carencias, tus heridas, tus anhelos. Hasta que no lo entiendes, puedes vivir asignando culpas sin asumir la responsabilidad de lo que te toca mirar en tu interior y sanar. En vez de preguntarte *por qué el otro me hace esto u aquello*, pregúntate *para qué el otro me está mostrando este aspecto de mí misma y qué información está revelando sobre mí*. ¿Qué no te das a ti misma y qué estás esperando que el otro te dé? De esa manera, te aseguras de relacionarte auténticamente contigo y en consecuencia con el otro, desde la coherencia interna que se revelará en tu entorno. Descargas hacia el otro a través de la proyección al no reconocer tus propias heridas o te pierdes en el otro a través de la introyección porque pierdes tu identidad y solo crees que te encuentras a través del otro.

Lo que estás atrayendo lo haces desde la información inconsciente que cargas. Identifica el tipo de pareja (amistades) que escoges y con el que te relacionas. Principalmente, vas a atraer parejas que te reflejen la herida primaria que tuviste con mamá o papá. Ves a las personas desde la percepción de tus creencias y programaciones, es decir, son tus espejos porque proyectas sobre ellos tu información, te estás viendo a ti misma o un aspecto no consciente sobre ti. Es importante entender que no son espejos genéricos ni todos te reflejan la misma información.

En su libro *Tú eres yo*, la geneaóloga Marta Salvat, nos explica con detalle las diferentes dinámicas de espejos que encontramos en el día a día y en la vida. Voy a mencionarte en mis propias palabras y, según mi experiencia, algunos ejemplos de lo que reflejan algunos de estos espejos.

> **Lo que estás atrayendo lo haces desde la información inconsciente que cargas.**

Reflejo directo - A través del otro, puedes entender cómo te comportas contigo misma. Si lo que ves en el otro te disgusta, es probable que te comportes igual contigo. Ejemplo: Escuchas a una mujer autocriticarse, barriendo el piso consigo misma y no te das cuenta de que haces lo mismo o peor contigo. **¿Qué le exiges al otro que tú no te das a ti misma?**

Reflejo de lo opuesto - Ves en el otro lo contrario de cómo te comportas y lo juzgas porque en el fondo esa persona está haciendo algo que tú quisieras hacer y no te das el permiso. Ejemplo: Ves una mujer supersexi caminando por la calle y la criticas: «Mira esa, ¿qué se cree?» cuando, en el fondo, lo que más quieres es poder tener la libertad de vestir y sentirte como ella. **¿Qué te gustaría hacer que no te atreves o no te permites?**

Reflejo de juicios - Observa qué cosas criticas constantemente en otra persona, probablemente es una característica tuya que no quieres aceptar o que no eres capaz de ver. También puede ser alguien que admires mucho y no te das cuenta de que eso que admiras en el otro, también lo tienes en ti y no lo reconoces. Ejemplo: Le cuentas a una amiga lo dominante que es fulana, tu amiga te abre los ojos y te dice: «Nena, si tú eres igual, ¿no te das cuenta?». Quedas ofendida porque eres incapaz de aceptarlo. **¿Qué repudias en ti?**

Reflejo de los simbolismos - Si te abres a una nueva mirada, verás cómo todo te habla a través de un lenguaje simbólico. De repente, comienzas a tener escapes de agua por toda la casa. El agua puede simbolizar las emociones. ¿Qué emoción estás reprimiendo en tu interior y no permites que se destape? La batería de tu vehículo se ha quedado sin carga en varias ocasiones consecutivas; ¿será que necesitas descansar y no te lo permites? Tuviste un malentendido con una amiga y, al otro día, comienzas a tener dolor de garganta, ¿qué estás callando? Quizás te pueda parecer tonto o ridículo hacer este tipo de relación simbólica; no lo es, incluso puede llegar a ser divertido cuando aprendes a descifrar este tipo de mensajes.

Estos son algunos ejemplos de los espejos, requiere aceptación y mucha práctica. Por favor, no caigas en la victimización. La idea de aprender a descifrar los espejos en tu vida es para empoderarte, para que puedas tomar mejores decisiones y, sobre todo, para que vivas en coherencia contigo y lo que te rodea, no es para que te tortures.

«Apropiarse de la historia personal y amarse a sí mismo a través del proceso es la cosa más valiente que podemos hacer».

—Brené Brown, profesora, investigadora y escritora estadounidense

Oportunidad: **Balance del dar y el recibir**

La reciprocidad en las relaciones implica que hay una responsabilidad afectiva de ambas partes. En la medida que sanas tus carencias afectivas, puedes sostener tus relaciones desde un lugar de empoderamiento donde te conoces, honras tus necesidades y límites, sabes qué te detona, cómo atenderte emocionalmente y le das el espacio al otro de hacer lo propio, sin pretender salvarlo ni huir cuando el conflicto se asoma, sino reconociendo que es momento de gestionarlo. Ambas partes reconocen la importancia de la comunicación efectiva y la escucha activa, y se gestiona responsablemente. Habrá momentos que toque dar más o recibir más porque el momento así lo amerita, pero tan pronto se pueda, se debe regresar al balance. Sostener el balance es trabajo de todas las partes involucradas, y así es cómo puedes reconocer que estás en una relación consciente y sana. También implica reconocer cuándo dejar ir a alguien, ya que hay momentos en que la relación deja de ser nutricia y lo más sano es reconocer que cumplió su propósito.

> **Habrá momentos que toque dar más o recibir más porque el momento así lo amerita, pero tan pronto se pueda, se debe regresar al balance.**

Te invito a evaluar tus relaciones más importantes y observa si existe reciprocidad afectiva, donde no la haya determina si es posible llegar a un balance. Si no es posible, pregúntate ¿por cuánto tiempo más esa relación va a ser sostenible? Actúa acorde.

Estoy bendecida con relaciones sanas donde cada cual da y recibe en reciprocidad.

Mensaje del Árbol Sabio:

La rama que carga más peso del que le corresponde termina quebrándose. Abraza tu dolor para que se disuelva en el amor que eres.

V. Las hojas son la mayor expresión de movimiento en el árbol. Gracias a ellas, los árboles vibran con color, texturas y formas.

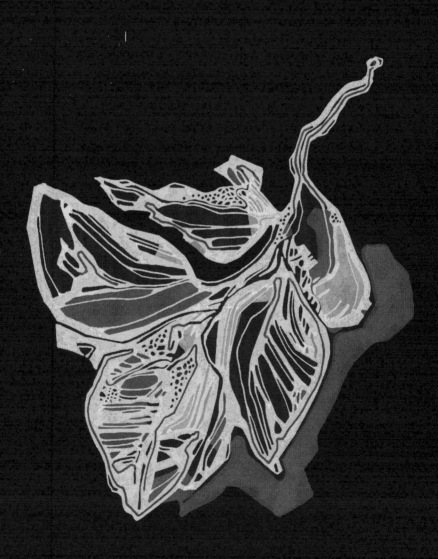

Hojas

A Elena le señalaban de niña que no le entendían lo que decía, que hablaba muy bajito y murmurando. Era estupendo hablar por teléfono con sus amigas porque nadie se enteraba de lo que decía, pero le venía fatal para su expresión personal. La programación de niña buena para ser aceptada había regido casi toda su vida, además, era tímida e introvertida. Prefería hacer silencio y observar a las personas.

Con el pasar de los años en su edad adulta, se fue dando cuenta de que, a lo largo de su vida, había callado mucho. Había evitado el conflicto externo a costa de su paz interna y eso no tenía sentido; era un precio muy alto que pagar. Esto se hacía muy evidente en las relaciones con algunas amigas: ella jugaba el rol de complaciente adaptándose a las necesidades de estas, pero en el momento en que ella expresaba sus necesidades, sus amigas no podían sostenerlo, como si Elena no tuviera también el derecho a expresarse. Ella era buena si estaba de acuerdo con todo, pero en el momento que mostraba desacuerdo o su propio punto de vista, sentía la incomodidad o resistencia de los otros. Ya no quería sostener este tipo de relaciones en la que ella tuviera que callar para complacer, quería ser aceptada desde la expresión de su verdadera voz y su sentir. El gran reto fue descubrir que esto era un reflejo de la comunicación con su mamá, a ambas les costaba mucho entenderse, sobre todo, desde el momento en que Elena escogió un camino diferente a las creencias religiosas que le habían sido inculcadas. Su madre mostraba resistencia e incomodidad ante los nuevos aprendizajes «esotéricos» de Elena. Ella eludía ciertas conversaciones con su mamá con tal de evitar encontronazos por la diferencia en perspectivas, por lo cual el silencio imperaba. Al ser su primer modelo de relación, también se reflejó en sus relaciones románticas porque callaba sus incomodidades a costa de sostener la relación. De una manera u otra, se sentía silenciada.

Además, se reflejaba en otras áreas de su vida, por ejemplo, cuando tenía que hablar ante muchas personas, su voz se mantenía en un tono muy bajo, sin potencia y con cierto miedo a ser escuchada. Elena quería descubrir dónde estaba oculta su verdadera voz.

Le pidió a una amiga «consteladora» que la acompañara a trabajar este tema. En la constelación descubrieron el miedo inconsciente en Elena de que si expresaba verdaderamente quién era desde su esencia, significaba traicionar a su madre. La voz transmite la vibración particular de una persona, como una huella digital, y por esto está ligada a su propósito de vida. Elena tenía como misión guiar a otros en sus propios procesos de autosanación. Si Elena seguía el camino al cual le guiaba su alma, estaría siendo desleal a la consciencia familiar y, especialmente, a su madre. Era una encrucijada: o era fiel al sistema familiar o se era fiel a sí misma. En el trabajo que hicieron juntas, Elena pudo liberarse de esa fidelidad a su mamá, agradeciéndole por darle la vida y declarando que no la traicionaba por querer hacerlo diferente.

«Mamá, lo hago diferente a ti y, por ello, no te traiciono».

Con la madre se necesita cortar el cordón umbilical para andar el camino propio, sanar el vínculo con mamá es sanar todos los vínculos en tu vida. Fue notable y progresivo el cambio luego de este trabajo. Recuperar su voz fue un proceso de descubrimiento en capas y niveles. Logró la claridad para expresar su voz con autenticidad y la confianza, que era parte de su propósito de vida, desde la fidelidad a ella misma al elegir su propio camino.

Con la madre se necesita cortar el cordón umbilical para andar el camino propio, sanar el vínculo con mamá es sanar todos los vínculos en tu vida.

Descubrir dónde había perdido su voz fue la suprema sorpresa. Para esto llegó a su vida Narciso II. Lo había conocido muchos años antes en la universidad, pero no eran amigos. A Elena siempre le había parecido un hombre guapo y misterioso, pero le provocaba un temor injustificado. Al cabo de más de veinte años, coincidieron en el mismo trabajo donde se hicieron muy buenos amigos y confidentes, ya que compartían muchos temas de interés. En una de esas confidencias, Elena le contó que se estaba interesando en una persona y que era correspondida. Algo en él se sintió estimulado y, ni corto ni perezoso, decidió hacerle un acercamiento romántico. Elena se sintió halagada y deslumbrada por la conexión que tenían con los temas espirituales, era un tipo brillante y talentoso. Aceptó el avance pasando por alto que estaba sumido en adicciones. Elena, a sabiendas, siguió adelante. En la primera semana de compartir románticamente comenzaron las primeras señales de desequilibrio entre ellos porque él le dejó saber su indecisión de seguir la dinámica romántica. Un día era todo bello, la trataba con afecto y, al día siguiente, había un cambio drástico como si él fuera otra persona, la trataba como una amiga más, poniendo distancia emocional. «Mejor sigamos como amigos, que nos iba muy bien», le dijo Elena y, al hacerlo, sintió en su cuerpo que era la decisión correcta, se sentía tranquila y aliviada. Tenía claro que Narciso II no creía en el compromiso, lo hablaba explícitamente, así que no había mucho futuro. Incoherentemente, él entonces insistió en que siguieran juntos y le aseguró que iba poner de su parte, ella aceptó aún sintiendo la contracción en su cuerpo que la alertó.

Poco a poco, Elena se fue dando cuenta de que no podía decirle que no; con él perdía su capacidad de poner límites, de defender lo que verdaderamente quería o necesitaba. Narciso II tenía grandes habilidades manipulativas y Elena sucumbía de manera absurda. Él se acercaba y se alejaba de ella a nivel afectivo, como una montaña rusa, quería y no quería, tocando de manera casi constante su herida de abandono. Esto creaba la dinámica perfecta entre un apego evasivo y uno ansioso; mientras más ella se acercaba a él, más él huía y cuando ella decidía alejarse, entonces, él regresaba. Además, activó nuevamente el rol de salvadora en Elena, quería salvarlo de sus adicciones y de su autosabotaje. Sus comportamientos autodestructivos despertaban en Elena una gran compasión que la cegó aún más. Siguieron en esa dinámica tóxica un par de meses en los cuales lograron identificar los detonantes de los temas de dolor para ambos, sin embargo, él sintió sus propias heridas tan revolcadas que no quiso entrar a sanarlas juntos.

–No estoy listo para las cosas que tú estás lista –le confesó.

Decidieron terminar la relación porque esta vez él estaba de acuerdo. Elena tenía sentimientos contradictorios, por un lado, sintió un gran alivio de librarse del drama emocional en el que se había metido con este hombre y, por otro, lamentaba el potencial que ella creía que tenían para juntos mirar las heridas y trabajarlas. Ella sabía que de eso se trataba una pareja consciente, que no está libre de tocarse los detonadores mutuos, pero pueden crecer juntos en el proceso si están en la consciencia y actitud de sanarlos. En su fantasía, ella se cuestionaba cómo era posible que un hombre tan inteligente y «espiritual» huyera de la conexión tan bonita que tenían. El gran problema de él era que su conocimiento acumulado solo estaba en su palabra a un nivel muy mental y no lo ponía en acción. Elena al fin comprendió que le tocaba a él, y solo a él, sanar sus propios traumas y heridas emocionales.

Unos seis meses más tarde, Elena se enfrentó nuevamente a una situación de salud debido al estrés crónico que estaba viviendo en este trabajo. Había estado dos veces en la sala de emergencia con la presión arterial por las nubes. El médico le había advertido que tenía que medicarse y ella se negaba. Narciso II, luego de un largo periodo fuera de la oficina, había regresado por lo cual retomaron la amistad. A una semana de irse de viaje de vacaciones estaba muy desconcertada, y él aprovechó el momento vulnerable para hacerle un nuevo acercamiento romántico con la promesa de que sería diferente. Ella sucumbió otra vez, y su cercanía fue un bálsamo para bajar el estrés que cargaba. Mientras disfrutaba de su viaje, se dio cuenta de todo el estrés que había acumulado en el cuerpo y de que tenía que prestar mayor atención al síntoma que estaba manifestándose.

A medida que se acercaba el día de regresar luego de dos semanas de vacaciones, comenzó a sentir a Narciso II frío y distante cuando conversaron por teléfono. Ya no sentía que la trataba románticamente, sino como amigos. Tan pronto regresó de su viaje fue a visitarlo, necesitaba despejar sus dudas, además le hacía mucha ilusión verlo y contarle sus experiencias.

Desde que entró por la puerta, lo notó rígido y poco efusivo. Sintió que la recibía como si ella fuera un amigo cualquiera. Luego de los saludos, le dijo a Elena que la relación entre ellos no era lo que él quería. Elena sintió como si le hubiesen echado un balde agua fría por la cabeza, se sintió como una perfecta idiota al volver a caer en su juego. Era lo más probable que ocurriera dado que era parte del patrón, lo conocía bien, pero una parte de ella no podía aceptarlo. Aun así, acabando de decirle que no quería seguir con ella, comenzó a tratarla de manera romántica, se acercó para a besarla y ella se dejó. Elena quería irse, pero se sentía impotente, no podía moverse, algo la paralizaba.

Quería decirle que era cruel tratarla así, que una vez más estaba jugando con sus sentimientos, pero ella no podía hablar, las palabras no salían de su boca. Fue cuando sintió una voz interna que dijo:

«Le voy a devorar el corazón».

¡Oh, Dios mío! ¿Qué rayos fue eso? Elena estaba en «shock», esa voz provenía de su interior, ¡pero no era ella! ¡Esa voz quería venganza! Intuyó que era la causa de su sensación de inmovilidad.

Sin decirle nada a él, mantuvo la calma hasta que fue insostenible su lucha interna y, en un arranque de fuerza, finalmente, venció la parálisis y se fue aturdida. Sabía que algo se había destapado, algo muy profundo que necesitaba mirar. Solo había una persona a quien se atrevía contarle lo que había sucedido y quien de seguro podría ayudarla. Al día siguiente, se comunicó con Amarilis para coordinar una cita y, en los próximos días, ya estaba con ella. Hacía cuatro años que no la veía, y les dio mucha alegría reencontrarse. Elena le contó lo sucedido y, luego de conversar, procedieron a hacer una regresión.

Esta vez, Elena se vio viviendo en el bosque, era una mujer medicina y vivía sola. La gente del pueblo venía a ella buscando sanación. Le tenían un gran respeto porque conocían que era poderosa con sus dones. Se enamoró de un hombre que vino a ella buscando ayuda, bajó sus defensas y se hizo vulnerable, algo de lo que se había cuidado por mucho tiempo. El hombre, a quien reconoció como Narciso II, era parte de las autoridades locales, y todo había sido un plan para capturarla. La tomó por sorpresa cuando vinieron a arrestarla. Los soldados tenían mucho miedo de acercarse a ella porque con su voz era muy poderosa, pero fue tanto el dolor y la rabia de verse traicionada por el hombre que amaba que no pudo sacar las fuerzas para manifestar efectivamente sus dones y sucumbió ante la situación. La arrestaron, la torturaron y la sentenciaron a muerte, como han hecho a lo largo de la historia con las mujeres sanadoras mal acusadas de brujería. En realidad, eran mujeres en profunda conexión con la naturaleza y su poder sanador, eran libres y soberanas de sus vidas, lo cual representaba una amenaza para el «status quo». Llegó el día de su sentencia. Le iban a cortar la cabeza. Minutos antes, pudo ver cara a cara a su verdugo: nada más y nada menos que el hombre que la había enamorado y engañado. Ella se retorció de furia, dolor y rabia, proclamando a este hombre que lo encontraría y se vengaría de él. Unos minutos antes, pudo reconocer que el hombre se había arrepentido de lo que le había hecho, pero ya era muy tarde, tenía que seguir las órdenes y le cortó la cabeza.

Amarilis guio a Elena a reflexionar sobre lo que había vivido en esa vida y lo que aún estaba arrastrando a la vida actual. Elena murió sintiendo el dolor de la traición y la ira de haberse dejado engañar por este hombre, pero lo peor fue su decreto de venganza porque a través de este creó una deuda y un vínculo a través del tiempo y el espacio. Claro que le tenía temor cuando lo conoció por primera vez, esa memoria estaba oculta en ella y por más que supiera que no era la persona adecuada para ella, tenían cuentas pendientes, de ahí venía la atracción y repulsión entre ambos. Su incapacidad de poner límites a Narciso II y de expresar su voz tenía que ver con que la había perdido en esa vida. Al cortarle la cabeza, de manera simbólica también le había cortado su capacidad de expresarse. Tenía que liberar a este hombre del decreto de venganza para que ella pudiera reclamar de vuelta su poder a través de su voz y también liberarse, recuperar sus dones y su poder. Amarilis la guio en el proceso de liberación y perdón.

Desde ese día, sintió que ya estaba lista para cortar por completo con Narciso II; había recuperado su voz ante él y su poder para decirle que no, no más. Como si la Divinidad la apoyara nuevamente, Narciso II dejó de trabajar en la misma oficina. Ya no tenían que verse y por mucho que él insistió en verla, ella no aceptó y lo sostuvo. Algunos seis meses más tarde, se lo encontró casualmente, se saludaron, conversaron de manera liviana. Elena se mantuvo imperturbable y comprobó que había sanado este vínculo.

Expresar tu verdad a través de tu voz

No dices lo que piensas y sientes miedo a no ser valorada ni honrada si te expresas. En principio, no te aceptas a ti misma y tienes miedo de que otros tampoco te acepten. El temor a expresarte por miedo a ser rechazada provoca que te anules. Te tragas lo que no dices, eso te ahoga y causa que no sepas poner límites, ni decir «no». ¿De qué maneras te mientes a ti misma?, ¿utilizas la mentira para salir de situaciones que no sabes manejar?

Cuando comunicas tu verdad, no tienes miedo de expresar lo que sientes en plena consciencia y sin intención de dañar. Puedes ser clara en decir lo que aceptas y lo que no, sabes que tus límites saludables son tu prioridad. Además, las personas saben que pueden confiar en tu palabra porque hay integridad en lo que dices y lo que haces. Tu voz se convierte en la fuente de la expresión creativa de tu ser.

Tu voz se convierte en la fuente de la expresión creativa de tu ser.

Las mujeres han sido silenciadas por siglos. Cargan una herida ancestral por el miedo a las consecuencias de expresarse, ser excluidas, señaladas, castigadas o la muerte. Es una memoria que carga el alma y, aunque no lo tengas consciente, puede estar deteniendo tu expresión. Al expresar tu verdad recuperas y reconectas con tu poder personal.

¿Si te pidiera que pongas tu mano donde entiendes que está tu voz, qué parte del cuerpo tocarías? Seguramente, el área de la garganta que es el lugar físico donde se genera la vibración sonora y también es la zona donde se encuentra tu centro energético de autoexpresión. Cuando este centro energético está fuera de alineación debido a una deficiencia de energía, que pueden ser miedos, inseguridades, mentiras, chismes, traumas, tu verdadera voz está bloqueada en tu interior, incapaz de ser expresada. En la voz está el poder de cantar tus alegrías, elevar tus rezos, oraciones y de gritar cuando duele.

> **En la voz está el poder de cantar tus alegrías, elevar tus rezos, oraciones y de gritar cuando duele.**

Cuando comienzas a escuchar tu voz interior, experimentas una resonancia más profunda con tu verdadero ser, y se alinean el cuerpo, la mente y el espíritu. **A través de este canal abierto, tu voz puede ser liberada, puedes descubrir tu libertad de expresión y ejercer asertivamente tu poder personal.** Una cosa es aprender a reconocer y sentir las emociones y otra, atreverte a expresarlas. Aprender a decir lo que verdaderamente sientes es un músculo que necesita entrenamiento.

> **Aprender a decir lo que verdaderamente sientes es un músculo que necesita entrenamiento.**

Cuando reconozcas que a través de la vibración de tu voz transmites la autenticidad de quién eres con credibilidad y claridad, te enfocas en usar tu creatividad para expresar tu esencia, tu verdadero ser. Lograr esta conexión y atreverte a expresarte es liberador. Procura hablar con la verdad desde tu mejor conocimiento y voluntad, pero nunca por que pretendas imponerla a otros. Cada cuál tiene su propia verdad y eso hay que honrarlo. Además, es una oportunidad maravillosa de aprender otras visiones y de entender las cosas desde otra perspectiva.

Para lograr expresar tu voz, primero necesitas encontrarla, el asunto es que antes de poder reconocer tu propia voz, necesitas identificar las otras voces que están en ti y que probablemente están hablando mucho más fuerte, opacando la tuya. Llevas almacenado todas las veces que te dijeron que no podías, que te hicieron dudar de tus capacidades y méritos, aunque de manera racional sabes que no son ciertas, tu inconsciente sí se lo cree y es desde allí que diriges tu vida. Puedes estar decidida a lograr alguna meta, pero escuchas una voz interna boicoteadora que te dice que no lo vas a lograr y, entonces, te autosaboteas para darle la razón. Identifica de qué te estás protegiendo al callar.

Identifica de qué te estás protegiendo al callar.

Reto: Identifica tus voces

Dentro de ti habitan muchas voces, en la medida que vas sanando tus heridas y te vuelves consciente de estas, puedes aprender a diferenciarlas. Son las programaciones que se han grabado en tu subconsciente y operan sin que te enteres. Te presento algunos conceptos del libro *Sanando tus heridas en pareja* para explicar estos estados del yo, como los llama su autora Anamar Orihuela, psicoterapeuta y escritora. Cada estado «pendula» entre su parte luminosa y su lado oscuro, y todos tienen su propósito. La idea es que puedas reconocerlos, atender lo que se necesita desde la adulta, que es quien puede observar sus movimientos, integrar los aprendizajes de cada uno y expresar todos con asertividad.

Además, puedes identificar personas en tu entorno con las voces: tu papá pudiera estar detrás de la voz crítica o una abuela. Tu madre o un cuidador en tu infancia pudiera estar detrás de la voz nutricia; en luz, como una voz que te apoya o, en sombra, como una voz que te anula. Llevar un diario de escritura es excelente herramienta para trabajar con estas voces. Cuando notes que alguna voz se asoma, escribe lo que dice, bajo qué circunstancias, si te motiva o te detiene y, sobre todo, cómo puedes integrar su identidad. Por ejemplo: Estás ante tu jefe quien te encarga liderar un proyecto importante, pero escuchas una voz interna que te dice que no eres capaz, que vas a fracasar o hacer el ridículo. Ese es el momento para que autoindagues el verdadero origen de esa voz. ¿A quién te recuerda?, ¿quién en tu entorno menospreciaba tus capacidades? Quizás algún

cuidador o, tal vez, una maestra te puso en ridículo frente a todo el salón escolar. Encontrar ese momento preciso es crucial para que esa voz pierda la autoridad sobre ti.

Identifica tus voces en luz y en sombra:

Parental crítica	
en luz	en sombra
- Te da la estructura, disciplina, hacerse cargo de los deberes y responsabilidades. - Te motiva a hacerlo mejor, a poner mayor atención o esfuerzo en tus metas y objetivos.	- Hace todo perfecto, pero sin alma ni gozo. Cae en el exceso de control, aburrido y acosador. - Te hace dudar de tus capacidades, nunca es suficiente.

Parental nutricia	
en luz	en sombra
- Te recuerda hacerte cargo de ti, de tu cuidado personal, de alimentarte y cuidar tu salud. - Te permite ser paciente, cuidadora, empática, nutricia y amorosa.	- Puede llevarte a caer en la conformidad, la indolencia y la incapacidad de esforzarte ante la vida. - Te hace pretender hacerte cargo de las necesidades de los otros y olvidar las tuyas.

Niña rebelde	
en luz	en sombra
- A través de su rebeldía, te muestra cuándo hay que poner límites y decir lo que piensas. - Te alerta cuando te estás acomodando a lo que no te hace feliz.	- Te muestra en constante insatisfacción ante la vida. - Te arropa el desorden, no pagas tus cuentas a tiempo, falta de puntualidad, no sabes lo que quieres de la vida. - Te niegas a crecer.

Niña libre	
en luz	en sombra
- Te conecta con ser espontánea y con el disfrute. Te permite descansar y ser feliz. - Te da espacio a la flexibilidad y la capacidad de estar abierta al cambio.	- Muestra exceso de energía, agresividad, competencia, querer tener la razón, no confiar en el otro. - Pretende que todo sea diversión todo el tiempo, sin estructura o dirección.

Adulta
en luz y sombra integrada
- La observadora y la consciencia activa, tu capacidad de darte cuenta. - Sabes estar en el presente. - Estado óptimo para dirigir tu vida y tu energía porque reconoces las voces y las atiendes.

Test:

Con total honestidad, asígnale un número a las siguientes aseveraciones según esta escala:

1 = Nunca / Totalmente en desacuerdo

2 = No a menudo / En desacuerdo

3 = A veces / Quizás

4 = A menudo / De acuerdo

5 = Siempre / Totalmente de acuerdo

■ **Soy una comunicadora efectiva.**

1   2   3   4   5

■ **Disfruto expresarme a través de la escritura, el canto o la música.**

1   2   3   4   5

■ **Soy buena escucha.**

1   2   3   4   5

■ **Soy una persona creativa.**

1   2   3   4   5

Tu Liderazgo

■ **Me llevo bien con cualquier tipo de persona.**

1   2   3   4   5

■ **Me siento escuchada por mi familia y amigos.**

1   2   3   4   5

■ **Me expreso fácilmente a través de mis palabras.**

1   2   3   4   5

■ **Me siento cómoda con mi voz.**

1   2   3   4   5

■ **Soy una persona honesta, no miento.**

1   2   3   4   5

Suma la puntuación de cada una de las aseveraciones.

Total:

Liderazgo

¿Cuál es la ruta de vida que estás siguiendo?, ¿la que has determinado tú o la que otro ha trazado por ti? Seguro que alguna vez has soñado con tener la casa de tus sueños, incluso la has diseñado en tu mente. ¿Alguna vez has soñado con diseñar tu vida? Tu vida es reflejo de tu casa interna. Tu vida, tu casa, tu diseño. A su vez, tu entorno es el reflejo de tu mundo interior y este te apoya y moldea tu proceso interno. Son referentes uno del otro. Como toda buena casa o edificio, puedes tener la oportunidad de diseñar y construir la vida que tú anhelas con las herramientas necesarias para crear una base sólida de lo que vas edificando en el lugar que es más propicio para ti.

¿Cuánta claridad tienes sobre dónde te encuentras en este momento de tu vida y hacia dónde te quieres dirigir? El plan de tu vida requiere intención, dirección y propósito. A medida que te conozcas, que estés en sintonía con tu poder personal, tendrás la claridad de cómo lograrlo. Te invito a que lo pienses en términos de las experiencias y sensaciones que deseas vivir. Identifica qué habilidades has desarrollado para establecer el liderato de tu vida y cómo puedes potenciar tus talentos en beneficio de tu propósito. Lo llevas a un siguiente nivel cuando alineas tu voluntad con la voluntad divina de manera que puedas notar mayor coherencia en tu vida. Escucha los temas de los que hablas constantemente, los diálogos que tienes contigo misma y con los otros, qué repites una y otra vez sin sentido y lo que aportas con tu verbo a tu entorno.

Si hay algo desafiante en esta vida, es la comunicación efectiva y asertiva. ¿Con cuánta frecuencia sientes que se malinterpreta lo que comunicas? Te empoderas cuando hablas con honestidad y aceptas que no siempre va a ser bien recibido. Cada cuál se expresa e interpreta desde su perspectiva conformada por sus creencias, programaciones y experiencias. Una vez tengas el liderato de tu vida, ¿cómo piensas liderar a otros? Para ser una líder efectiva, necesitas desarrollar tus destrezas de comunicación. Te conviertes en una comunicadora cuando utilizas tus experiencias como ejemplo que otros puedan emular y reconoces tu valor en lo que puedes compartir porque puede hacer la diferencia en sus vidas. La comunicación efectiva viene acompañada de la escucha activa, no solo debes saber expresarte, sino que es crucial saber escuchar con plena atención. Es decir, no es escuchar para responder, sino escuchar para comprender. Interpretas desde tus propios filtros y esto puede no tener nada que ver con lo que el otro está queriendo expresar. Cuesta mucho trabajo porque se suele querer imponer la opinión con el fin de pretender que sea la única verdad. Para esto la herramienta más poderosa es el silencio y la pausa, que es el espacio que le regalas a la otra persona para escucharlo y te regalas a ti para entender otro punto de vista. ¿Te ha pasado que, al momento de contar una historia, las personas que la presenciaron la cuentan completamente diferente? Es así, cada cual la experimenta según su propio cuento interno. El próximo nivel de escucha es hacia ti misma, lo que verdaderamente necesitas, anhelas y deseas y, desde ahí, desarrollar la habilidad de responder y atenderte.

¿Qué mensaje estás lista para compartir?, ¿comunicas con claridad? Más allá de las palabras, ¿qué comunicas con tus acciones? El liderazgo más potente es el que se muestra –no solo el que se habla–, en el que la palabra y la acción van de la mano.

«Creo que llegó el momento de hacer cambios fundamentales en nuestra civilización. Pero, para que el cambio sea real, necesitamos energía femenina en la administración del mundo. Necesitamos un número crítico de mujeres en posiciones de poder y necesitamos cultivar la energía femenina de los hombres. Quiero que este mundo sea bueno. No mejor, sino que bueno».

–Isabel Allende, escritora chilena

Oportunidad: *El poder en tu voz*

Te incomoda dejar mensajes de voz porque sientes que se escuchan mal, incluso horrible. Te aterra que otra persona te escuche cantar y el único lugar donde te sientes cómoda es en la ducha. Y ni hablar de cantar en un karaoke. Confieso que yo era una de esas. A mí no me gustaba el sonido de mi voz, no dejaba mensajes de voz, no cantaba ni siquiera en la ducha, jamás en un karaoke. La voz es casi como una huella digital, pero a nivel vibratorio. Si nos disgusta nuestra voz, hay una parte de nosotros que no aceptamos, una parte con un potencial maravilloso de sanación. Hay una diferencia entre lo que uno percibe cuando habla que tiene que ver con la relación contigo misma, y lo que las personas captan en tu voz, la vibración que transmites. La mejor manera de trabajar tu voz es haciendo que se escuche.

Desde mi adolescencia me destaqué por participar en actividades de liderazgo, concursos, oratorias. Mi formación profesional me obligaba continuamente a exponer mis ideas, propuestas y diseños para la aprobación de otros. Hablar en público no me asustaba, tampoco hacer contacto visual. Me asustaba tener que pararme frente a un público a hablar de mí, de mi verdad, de una verdad que a otros podía contrariar e incomodar. Pero yo tenía mucho que compartir y el mejor lugar para hacerlo fue en un club Toastmasters. Es una organización internacional sin fines de lucro que promueve el liderazgo y la oratoria, en este espacio seguro puedes expresar tu voz y practicar la escucha activa hacia otros. Ser parte de un club no solo es para aprender a hablar en público, te aseguro que el mayor

142

provecho lo vas a obtener para tu vida personal, y desde ahí lo verás expandido al ámbito profesional y social. Ha sido el espacio clave para encontrar mi voz y liberarla.

Recuerdo que en mis primeros discursos me decían que mi voz era muy baja y que no la proyectaba con fuerza. Me justificaba diciendo que así era, que no podía hacer nada al respecto, pero mi mentor en el club una vez me dijo:

–Yesenia, falta «poder» en tu voz.

–Pero, es que yo hablo así, ¡esa es mi voz! –le respondí.

–¡NO! –me insistió mi mentor– Necesitas encontrar tu voz.

En otra ocasión, uno de los compañeros veteranos del club evaluó mi oratoria y me dijo: «Yesenia, ¡suéltate, libera tu voz!» en un tono apasionado y alzando sus manos. Lo miré espantada, pero dentro de mí sabía que era cierto. Hice caso y lo trabajé efectivamente. Dejé que mi voz saliera del escondite. La evidencia fue los próximos discursos que ofrecí en los siguientes meses hasta alcanzar el mayor logro dentro de la organización: convertirme en una Toastmasters Distinguida. Completé todo el programa al cabo de cinco años de dedicación, gran esfuerzo y mérito.

Aún más, el mayor reto de expresar mi voz ha sido escribir y publicar este libro, un paso de valor y coraje, sin duda alguna, alineado con mi propósito de alma. Te invito a que identifiques cómo compartir de manera creativa lo que tienes que decir con autenticidad. Puedes ingresar a un club Toastmasters, los hay alrededor del mundo; hacer un podcast, un blog, una clase de locución o de canto.

¡Exprésate con creatividad!

Estoy expresando con asertividad mi verdad y mi propósito.

Mensaje del Árbol Sabio:

El principal liderazgo que necesitas trabajar es el de tu propia vida y lo haces expresando tu verdad en integridad. Háblate con honestidad y amor.

VI.

La flor es la estructura reproductiva del árbol, atrae polinizadores y sirve de alimento para aves e insectos. De la flor surge el fruto.

Flores

¡Qué años tan difíciles y dolorosos para Elena una vez entró en la noche oscura del alma marcada por la llegada de Ilán a su vida! Los vivió en silencio. Nadie en su entorno sabía que ella se encontraba en lo profundo de un pozo. Nada tenía sentido, lloraba constantemente y su vida social era casi nula. Tenía muy pocos amigos a quienes realmente pudiera compartirles lo que estaba viviendo. Temía que pensaran que estaba loca, deprimida o fantaseando. No era así como ella quería vivir. Soñaba con una vida mejor en la que pudiera sentirse plena, libre y con paz interna.

En su búsqueda por sanación, Elena encontró muchas herramientas, recursos y personas que la apoyaron a salir de ese lugar oscuro y profundo en el que estaba sumergida. Su salvavidas fue seguir buscando respuestas, indagando, adentrarse en lo profundo de cada herida. Leyó libros, tomó talleres y cursos de autoconocimiento. El primer libro que se vio movida a comprar sin ninguna lógica fue *El arte de ser feliz*, del Dalai Lama que la ayudó a conectar con la compasión hacia los seres humanos y, por ende, hacia ella misma. Así sucesivamente siguieron llegando otros títulos, entre ellos, el primero que leyó sobre vidas pasadas, *¿Existe la reencarnación?*, el cual encontró en su casa, sin saber cómo había llegado. Cada relación o interacción le mostraba algún tema que necesitaba mirar para sanar. Cuando creía que estaba por salir del pozo, se daba cuenta de que todavía le quedaba más trabajo por hacer. Hubo veces que estuvo a punto de dejarse caer nuevamente al fondo, pero llegaba la asistencia divina, una persona le decía algo importante, algo que escuchaba, alguna lectura que caía en sus manos, justo lo que necesitaba conocer en ese preciso instante.

A Elena muchas veces le cuestionaron por qué seguía estudiando, aprendiendo herramientas adicionales, que quizás era tiempo de parar. Mientras no encontrara respuestas, seguía sedienta de buscar. Hizo las pausas que el momento ameritaba para integrar y trabajar lo aprendido, pero nunca se detuvo, sobre todo, porque tenía la certeza de que era guiada. Aprendió a confiar en esta guía, aún cuando algunas personas en los nuevos círculos de estas prácticas y conocimientos le decían que ya no había nada más que buscar, que era suficiente. Cuando esto ocurría, se sentía incomprendida y frustrada de que personas tan versadas en estos temas, le dijeran que ya era suficiente. Otros defendían sus prácticas como las únicas válidas. Si algo tenía claro Elena, es que ella nunca iba a dejar de estudiar, aprender, crecer, expandirse. Quien no estuviera alineado con esto no podía estar en su vida. Si ella les hubiese hecho caso a esas voces externas, no hubiera alcanzado el autoconocimiento que fue integrando hacia su transformación personal. Tuvo claro que nadie podía decirle hasta cuándo, eso lo decidía ella a través de su brújula interna. Algo importante había aprendido: no todas las herramientas o técnicas sirven para lo mismo. Ella necesitó diferentes para pelar las capas de dolor y carencias que cargaba.

Mientras más se adentraba Elena en el mundo del crecimiento personal, la sanación interior y la transformación personal, más sentía que se alejaba de su carrera como arquitecta. Amaba su profesión, pero no la manera de ejercerla. Llegó el momento en que sentía que quería emprender otro camino diferente. Pero esta vez con miedos, volvía a retar lo que se suponía que hiciese con su vida. Sin marcha atrás, había vivido procesos de mucha transformación, su nueva versión quería otras cosas. Sentía el llamado de poner al servicio de otros lo que ella había aprendido en su proceso personal de sanación.

Por varios años estuvo en transición entre su profesión y su vocación, incluso haciendo ambas a la vez. Necesitaba su profesión para generar un ingreso económico y se encaminaba hacia su vocación en la medida en que se encontraba personas que buscaban su ayuda y guía. Fue formalizando sus servicios y una amiga le ofreció compartir su espacio de terapias donde Elena pudo comenzar a atender clientes.

Su más reciente trabajo había sido en una oficina de gerencia de proyectos con un ambiente profesional dominado por hombres; su profesión lo era, pero en ningún otro trabajo había sido tan palpable. Tuvo que aprender a hacerse valorar y ser escuchada, crucial para sanar su propia energía masculina la cual vio claramente proyectada en este espacio laboral. Una de esas ocasiones fue cuando descubrió que dos de sus compañeros con menos experiencia, sin el grado profesional que ella tenía y que hacían menos trabajo, tenían una paga mayor que ella. Se armó de valor y, sin perjudicar a ninguno de sus compañeros, fue donde su jefe y le planteó la situación quien comprendió su planteamiento y le aumentó la paga. En otro momento de su vida no se hubiese atrevido. ¿Qué lo hizo diferente? Que ella reconocía su propio valor y lo que aportaba a la compañía. En varias ocasiones, tuvo que poner un alto avances de hostigamiento sexual de compañeros que curiosamente eran mayores que ella en edad y casados. En los proyectos de construcción le decían «la nena», «la muchacha», nunca «la arquitecta».

> **¿Qué lo hizo diferente? Que ella reconocía su propio valor y lo que aportaba a la compañía.**

El alto nivel de estrés provocó que su presión arterial se elevara. En dos ocasiones sus compañeros la llevaron a sala de emergencia en medio del día de trabajo. ¿Cómo era posible que una persona tan pacífica y calmada como ella, dicho por sus propios compañeros, tuviera problemas de presión arterial? Era evidente que sostener ese estado de calma le estaba costando, sobre todo, cuando no mostraba su enfado ante situaciones que consideraba no apropiadas. En este punto, Elena sabía que estaba somatizando, pero no podía reconocer la raíz con exactitud. Recurrió a una profesional de Bioneuroemoción®, con lo cual se busca descifrar la raíz emocional del evento que da lugar al síntoma que se manifiesta en el cuerpo físico. Había aceptado el trabajo en esta oficina de manera temporera, pero su jefe le pidió que se quedara más tiempo y luego le ofreció la plaza regular. En el ejercicio, ella conectó con el momento exacto en que su jefe le entregó el nuevo contrato para su firma. Representando una figura seudopaterna y masculina, su jefe estaba ratificando su valor como profesional. Elena aceptó, pero con esa decisión estaba siendo infiel a sí misma. Una infidelidad que su cuerpo le gritaba recordando la presión a la que se estaba sometiendo. Cuando lo descubrió, entendió que tenía que poner fecha para dejar ese empleo y retomar entonces su vocación de sanación holística.

En este empleo, Elena se cuestionaba el porqué ella daba su mayor esfuerzo para su patrono, era una empleada estrella y, sin embargo, para su propio negocio, le costaba dedicarle el mismo ímpetu y entrega. Trabajar para otro representaba un espacio cómodo para Elena, el gran reto era ponerse a ella en primer lugar, una vez más. Comprendió que la detenía un miedo. Si trabajaba para otro, quedaba tras bastidores; si lo hacía para ella, tendría toda las miradas y atención, y eso era algo que no le gustaba. Este empleo le había creado una falsa ilusión de seguridad.

Le daba miedo ser vista y brillar, lo cual era algo inevitable si quería seguir el llamado de su alma. La autora y líder espiritual, Marianne Williamson, escribió en su poema *Our Deepest Fear* que nuestro mayor miedo no es a nuestra oscuridad, sino a nuestra luz. Elena descubrió que el mayor miedo radicaba precisamente en eso: «dejarse ver»... por el nivel de vulnerabilidad que esto requiere. Ya no se podía esconder detrás del nombre de otro, su negocio era ella. Y como había visto en la terapia de regresión, mostrar su poder, a nivel inconsciente, implicaba poner su vida en riesgo. Así había vivido, desde lo irracional, de ese miedo que paraliza. Sin embargo, la mayor evidencia para Elena de que este era su camino era su gente cercana, sus clientes con los cuales comprobaba que, en efecto, era buena en lo que hacía y que estaba alineada con sus dones. Elena comprendió sin lugar a dudas que mientras ella estuviera alineada al llamado de su alma, todo saldría bien.

Elena comprendió sin lugar a dudas que mientras ella estuviera alineada al llamado de su alma, todo saldría bien.

Florecer desde el autoconocimiento

En la infancia te enseñan a tenerle miedo a la oscuridad, a la noche y a las sombras. Este miedo se arrastra en la adultez reflejado en el miedo y la falta de capacidad de reconocer tu propia sombra. La sombra son esas partes en ti que no aceptas, que te dan vergüenza reconocerlas, que niegas, que has creído que hay que ocultar.

Seguramente, has escuchado el refrán «No hay peor ciego que el que no quiere ver». Esa ceguera la vives cuando niegas que en ti habita una sombra que oculta lo que no te gusta de ti, lo que te da miedo que otros conozcan o lo que has callado por miedo, dolor o rechazo. Iluminas tu sombra cuando te das la oportunidad de explorar tus patrones, las dificultades interpersonales, las programaciones y entras en un proceso de autoconocimiento. No se trata de pelearte con tu oscuridad o temerle, sino de integrar su aprendizaje. En tu oscuridad radica el mayor potencial para que tu luz brille. La máscara que usas tiene como propósito evitar sentir el dolor de la herida que cargas. Cuando temes mostrar tu luz, es porque hay algo no sanado en tu sombra que está anhelando ser descubierto porque tiene que ver con tu aprendizaje como alma.

La ensayista y autora canadiense Lise Bourbeau habla sobre cinco heridas primarias que carga el alma y que la niñez es la incubadora para que estas se generen: rechazo, abandono, traición, humillación e injusticia. Aceptar la herida que tienes y aprender a reconocerla cuando se activa, te permite no caer en el juego de pretender ocultarla detrás de una máscara. Te muestro algunas características básicas mencionadas en su libro para que tengas una idea.

Herida de rechazo: La persona tiene muy baja autoestima, se considera nula, sin valor y en constante insatisfacción consigo misma. Sus emociones la abruman y es una gran perfeccionista. Su mayor miedo es caer en pánico por perder el control y la máscara que lleva es la de huida, de relaciones y situaciones, porque ha desarrollado estrategias para huir de su sensación de ineficacia.

Herida de abandono: Le cuesta manejarse por sí misma y hacer cosas por su cuenta. Puede tener tendencia al drama y la enfermedad para llamar la atención. Agrada y ayuda para que luego le compensen. Su gran miedo es la soledad, ya que le aterra y se esconde tras la máscara de la dependencia.

Herida de traición: Muestra una fuerte personalidad con tal de imponer su voluntad. No está en contacto con su vulnerabilidad, se esfuerza para que la consideren responsable y capaz. Necesita sentirse especial con reconocimientos y atención de grupo. Cuando delega, exige que se hagan las cosas a su manera. La persona es rencorosa, impaciente e intolerante. Su gran miedo es sentir la separación y que le repudien, y su manera de ocultarlo es tras la máscara del control por la falta de confianza en los otros.

Herida de humillación: La persona cree que disfrutar de sus sentidos la aleja de Dios. Siente culpa y vergüenza fácilmente si cree excederse. No atiende sus necesidades, aunque las conozca. Le tiene miedo a la libertad porque implica no tener límites. La máscara que lleva es la de masoquismo con la que se niega a sí misma.

Herida de injusticia: Le cuesta admitir que tiene problemas o molestias, prefiere mostrarse dinámica. Con su optimismo quiere aparentar perfección para sostener el ideal que se ha fijado. No quiere sentir y teme perder control para no parecer imperfecta. Todo debe ser justo. Va por encima de sus límites hasta asegurarse de que ha hecho un buen trabajo. Su miedo es a la frialdad y se esconde tras una máscara de rigidez para no sentir.

Aparte del comportamiento de cada herida, la autora define características físicas típicas de cada una. Generalmente, se tiene una primaria y una o varias secundarias. Es importante atenderlas porque te van a afectar en todas tus relaciones interpersonales de una manera u otra; y, sobre todo, en la relación más importante que es la que tienes contigo. La idea no es victimizarnos por cargar alguna de estas heridas, sino entender que nuestro aprendizaje más grande radica en su trascendencia. La sombra te habla de lo que no has sanado y tu luz te sostiene para integrarlo y trascenderlo.

> **La sombra te habla de lo que no has sanado y tu luz te sostiene para integrarlo y trascenderlo.**

En mi infancia, solía tener un sueño recurrente, más bien era una pesadilla. Siempre era lo mismo, una y otra vez.

En la pesadilla, me encontraba en una fiesta cumpleaños de una amiguita, pasándola bien chévere, divirtiéndome como todas las niñas de la fiesta. Al llegar el momento de abrir los regalos, la niña que cumplía años va sacando sus juguetes y abre un regalo con un muñeco muy particular y desagradable. Ante mis ojos el muñeco de repente cobra vida y comienza a perseguirme, a mí, solo a mí. Pero eso no es lo peor, nadie más lo ve, solo yo.

Voy donde mi madre a pedirle ayuda, mi protectora, la que me dio la vida, pero ella estaba muy entretenida hablando con las madres de las otras niñas. Le digo desesperada lo que me está ocurriendo, y no me cree, no le presta importancia. Sigo caminando, dando vueltas a ver si el muñeco desaparece o se queda quieto, y nada, continúa persiguiéndome. Regreso una vez más donde mi madre en busca de su ayuda, esta vez me ignora por completo.

Sigo en mi agonía, ¿qué se supone que haga una niña indefensa ante semejante situación? Cada vez que volteaba la mirada, a mis espaldas tenía al horripilante muñeco. En uno de esos momentos en que me volteo, veo que tiene en sus manos un objeto punzante, listo para atacarme, ¡me iba matar! Pienso lo peor, solo un milagro puede salvarme. Inesperadamente, aparece en mis manos un martillo gigante, me volteo y le caigo a golpes al muñeco, golpes, golpes, golpes hasta asegurarme de que estuviera totalmente desmantelado, derribado, aniquilado. ¡Estoy a salvo!

Eventualmente, dejé de soñarlo, desapareció luego de la adolescencia. Nunca comprendí la razón de esta pesadilla repetitiva. A veces los sueños encierran significados de cosas que guardamos en el subconsciente. No fue hasta entrada la década de mis cuarenta años que entendí su significado como una metáfora de la sombra, fue más bien una revelación que me llegó, la comparto contigo:

Era solo yo quien veía el muñeco poseído, así que solo existía en mi realidad; si era solo mi realidad, yo lo había creado. Una parte de mi le daba vida; entendí que representaba mis miedos. El instrumento, el martillo gigante que apareció en mis manos, era la ayuda divina. El martillo me llegó por gracia, pero yo era la que tenía que decidir usarlo, nadie más lo iba a hacer por mí. Solo yo podía derribar mis propios miedos; nadie vendría a rescatarme, solo yo podía salvarme.

A través del autoconocimiento, se adquiere la noción de lo que te caracteriza como individuo, aprendes a conocer tus cualidades y talentos, pero también tus defectos, limitaciones, necesidades y temores. Adquieres claridad de lo que te mueve en la vida y de lo que te paraliza. Llevar a la práctica diaria las herramientas de autoconocimiento es la clave para incorporar los cambios. Aprende una técnica y ponla en práctica.

Además, no solo logras conocerte tú, sino que te permite comprender a los que te rodean. Dejas de tomarte las cosas personales porque entiendes que cada cual tiene sus propios programas y, en vez de engancharte en las situaciones, te vuelves cada vez más observadora. Cada cual está en su propio cuento... o pesadilla.

¿Qué necesitas aprender?, ¿dónde en ti hay que hacer espacio?, ¿qué necesitas soltar para hacerte más liviana y disfrutar el viaje hacia tu interior? Busca dentro tuyo lo que te molesta afuera, no pretendas cambiar a nadie, solo trabaja el cambio en ti. Cuando tú cambias, afuera cambia, porque tienes una nueva mirada. No busques culpables afuera, eso te convierte en víctima, y desde la víctima eres impotente. Te empodera saber que puedes elegir cambiar tu vida. Busca herramientas que te enseñen cómo hacerlo diferente. Aprende a sintonizar y escuchar tu voz interior, tu parte sabia. Observa las máscaras que utilizas y con quiénes, cuándo y para qué recurres a estas.

Cada cual está en su propio cuento... o pesadilla.

Reto: *Identifica tus máscaras*

No te atreves a compartir tu punto de vista por miedo a ser rechazada. No estás de acuerdo con la decisión que han tomado en grupo para salir, pero sonríes de manera complaciente. Estás comenzando a salir con alguien que te invita a cenar a un restaurante que detestas, pero no te atreves a decirlo y esto causa que la pases fatal. Eres la más divertida y chistosa de tu grupo de amigas, pero cuando llegas a tu casa te enroscas en posición fetal a llorar de tristeza. Ante el mundo tienes la relación perfecta y en realidad vives infeliz con tu pareja. Te empequeñeces para que otros no se intimiden y te acepten.

¿Quién eres sin máscaras?, ¿cómo se vería tu versión más auténtica?, ¿te aceptas con tus virtudes, tus defectos, cualidades o debilidades?, ¿cuánto te preocupa la opinión de los demás sobre cómo vistes, cómo te arreglas, cómo llevas tu vida? Puede ser que te de terror de solo pensarlo, pero te reto a mirarlo.

Querer complacer a los otros es el peor engaño que te puedes hacer y el mayor gasto de energía. Mientras lo hagas de esta manera, serás una marioneta. No hablo de saber comportarse según lo requiera la ocasión y el lugar donde te encuentres, eso tiene que ver con modales y civismo. Hablo de anularte con tal de ser aceptado, de encajar, del miedo a ser diferente y a ser genuina. Cuando buscas encajar para no ser diferente, señalada o juzgada, en realidad, quien única no se acepta eres tú a ti misma.

¿Cuáles son tus máscaras y cuándo las usas?, ¿cuál miedo esconde cada máscara? No pasa nada, todos usamos máscaras en algún momento u otro, solo asegúrate de no dejártela puesta porque te corres el riesgo de llegar a creer que esa eres tú.

Algunas máscaras que usamos, reflexiona y marca cuáles son las tuyas:

Contexto social	Contexto familiar	Contexto profesional
- La payasa	- La complaciente	- La que puede con todo
- La conservadora	- La que no rompe ni un plato	- La que no necesita ayuda
- La espiritual	- La puritana	- La más que manda.
- La sabelotodo	- La que está al servicio de todos	
- La rebelde		

...todos usamos máscaras en algún momento u otro, solo asegúrate de no dejártela puesta porque te corres el riesgo de llegar a creer que esa eres tú.

Test:

Con total honestidad, asígnale un número a las siguientes aseveraciones según esta escala:

1 = Nunca / Totalmente en desacuerdo

2 = No a menudo / En desacuerdo

3 = A veces / Quizás

4 = A menudo / De acuerdo

5 = Siempre / Totalmente de acuerdo

■ **Tengo alto sentido de percepción de lo que me rodea.**

1   2   3   4   5

■ **Tengo sueños vívidos.**

1   2   3   4   5

■ **A menudo tengo experiencias de «déjà vu», coincidencias o serendipias.**

1   2   3   4   5

■ **Tengo una gran capacidad para visualizar o imaginar cosas.**

1   2   3   4   5

Tu Crecimiento Personal

■ **Confío en mi intuición.**

1 2 3 4 5

■ **Tengo buena memoria.**

1 2 3 4 5

■ **He experimentado conexiones psíquicas con otras personas.**

1 2 3 4 5

■ **He tenido episodios de clarividencia o telepatía.**

1 2 3 4 5

■ **Me encanta aprender.**

1 2 3 4 5

Suma la puntuación de cada una de las aseveraciones.

Total:

Crecimiento personal

No te atreves a dedicarle tiempo a las cosas que te apasionan porque es egoísta pensar en ti, en tus deseos y metas. Te cuesta salir de tu zona cómoda porque no sabes cómo enfrentar tus temores y esto hace que detengas tu crecimiento personal. Mientras te mantengas preocupada por obtener la aprobación externa, pierdes tiempo preciado de conectar con tu esencia. Hay algo en ti que quiere sentirse alineado con un propósito mayor que vaya más allá de meramente sobrevivir.

¿Cómo nutres tu crecimiento personal?, ¿con las redes sociales?, ¿con programas de entretenimiento o farándula? Ten cuidado del exceso de estimulación mental e información que no está aportando a tu desarrollo o bienestar. ¿Qué tipo de música escuchas? La música no es solo una experiencia auditiva, sino sensorial y vibratoria que altera tu frecuencia a favor o en contra. ¿Cuánto inviertes en tu crecimiento? No te dije cuánto gastas porque es una inversión que implica tiempo, dinero, dedicación y enfoque. Considera que tu crecimiento personal es la mejor inversión que puedes hacer en ti. Los resultados van a ser proporcionales a lo que inviertes y en qué inviertes. Lo nuevo que aprendas ponlo en práctica inmediatamente, sino no te va a servir de mucho.

La lectura es la mejor manera de hacer una buena siembra en tu mente y de transformar tu vida. Lo digo por experiencia, y lo dicen cientos de expertos. «El que lee mucho y anda mucho, ve mucho y sabe mucho», palabras sabias de Miguel de Cervantes. Si no estás invirtiendo tiempo en la lectura, te aseguro que pierdes una poderosa herramienta de autoconocimiento y empoderamiento. Leer te obliga a salir de tu zona cómoda porque te expone a ideas y conocimientos que de otra manera estarían fuera de tu alcance. Además, evita que seas manipulada. Mantiene tu cerebro creando nuevas conexiones neuronales, es decir, mantiene su plasticidad. Lo mejor es que te das cuenta de que no sabes nada y que la vida es un constante aprendizaje. Te mantiene en un estado de humildad y curiosidad.

La dirección que marcas para tu vida debe ser un proceso enraizado en tu autoconocimiento, en todo eso que has descubierto de ti y estás lista para expandir. Algo que ha sido clave para mí es tener mentores, esa persona que ha caminado por donde tú quieres ir y que te puede apoyar en el proceso. El salto cuántico que puedes tener acompañada por un mentor no es posible por tu cuenta. El mentor respeta tu proceso único y personal, y tiene la capacidad de alumbrar las partes del camino que pudieran desviarte, incluso evitar que pierdas el rumbo.

Aún con todo lo que aprendas y en el momento te creas como cierto, tu mejor brújula va a ser tu intuición. Si no confías en tu intuición, es probable que acumules mucho conocimiento y habilidades, pero lo mantengas a un nivel mental sin llevarlo a la experiencia. Conectas con tu propósito de vida cuando estás conectada con tu intuición y permites que fluyan las señales y símbolos que se revelan ante ti. De lo contrario, aunque sepas que hay algo mayor y profundo que te guía, puedes caer en el miedo de profundizar en ello. Es entonces el mejor momento de preguntarte, ¿cuál es la dirección contraria al miedo? El miedo es mal consejero... a no ser que lo uses como motor para salir de tu zona cómoda. Dentro de ti tienes toda la sabiduría para conocer cuál es el mejor próximo paso que debes tomar. Cuando no das nada por sentado, entiendes que hay mucho más de lo que aparenta ser evidente. Tienes plena confianza de que algo no visible te guía, aunque no tengas explicación lógica para ello.

Dentro de ti tienes toda la sabiduría para conocer cuál es el mejor próximo paso que debes tomar.

Hay una gran disponibilidad de herramientas que puedes explorar para que sigas conociéndote. La verdad es que somos libros abiertos y no solo cargamos una información de nuestro árbol familiar, sino una información que se genera en el momento del nacimiento y otra que cargamos con el aprendizaje del alma. Adentrarse en este conocimiento otorga mayor sentido a las experiencias que hemos vivido y ayuda en la comprensión de los caminos que hemos elegido. Algunas herramientas las podemos aprender por cuenta propia y para otras, necesitamos encontrar un facilitador. Te sugiero las siguientes: Eneagrama, Carta Natal, El Árbol de la Vida y el Diseño Humano, entre otras.

«Aferrarse a la seguridad de lo familiar te impide descubrir y crear lo que eliges para tu vida. Debes soltar donde estás para llegar adonde quieres ir».
— Barbara Stanny, autora, terapeuta financiera y «coach» de prosperidad

Oportunidad: **Salir de la zona cómoda**

Dicen que para crecer hay que salir de lo conocido, estoy convencida de que es así. De niña siempre me fascinó la lectura, pero en la adolescencia me negaba a leer en inglés. En la universidad lo tenía que hacer porque no me quedaba otro remedio. Era solo una limitación autoimpuesta, una vez solté la resistencia, logré disfrutar la lectura en inglés.

Recuerdo que, aunque me atraía entrar a un estudio de yoga, a la vez me intimidaba. Me enamoré de la práctica cuando encontré una maestra que ofrecía las clases a un grupo pequeño en un parque y, además, porque una amiga que asistía me la recomendó. Igual me pasó cuando conocí de Toastmasters. Tardé más de un año en atreverme a asistir y también fui casi de la mano de una amiga que era parte del club. Como esos tengo varios ejemplos, lo importante es que hice el estiramiento mental de atreverme y los beneficios que obtuve han sido incalculables. Hubo otras cosas que probé y no me agradaron, simplemente dejé de participar.

¿Qué llevas tiempo contemplando y no te has atrevido hacer? Mientras puedas, hazlo sola y, si no, busca un cómplice que te acompañe a dar el primer paso. Proponte hacer algo nuevo, completamente fuera de tu zona cómoda y observa cómo te empoderas en el proceso. Un pequeño cambio es una chispa de felicidad que añades a tu vida.

Estoy en constante crecimiento y expansión.

Mensaje del Árbol Sabio:

"Una flor no se queda cerrada en el capullo. Abre y despliega toda su belleza sin temor. Desde esa apertura y esplendor, logra cumplir su propósito. Devela la ceguera y déjate guiar por tu intuición."

VII.

El fruto emerge de la flor y este genera y protege las semillas que tienen el potencial para germinar otros árboles. Por el fruto se reconoce el árbol.

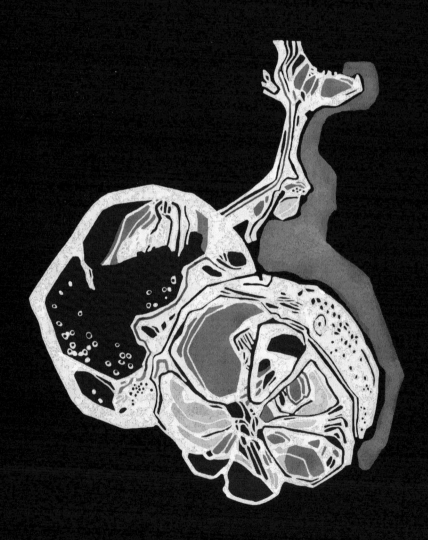

Frutos

Elena creció en un entorno religioso cristiano evangélico. Era el mundo que conocía, eran los dogmas que profesaba. Su niñez y adolescencia en la iglesia fueron agradables. Asistía a los campamentos de verano, participaba en los dramas y de los grupos corales. Compartía con una comunidad que la vio crecer. Esto le dio una base sólida y llenó un gran espacio de soledad en su vida y la de su familia. Aprendió desde pequeña que el cuerpo es el templo del espíritu y esto resultó en que ella procurara siempre cuidarlo de vicios o sustancias nocivas. Por otra parte, ya en su juventud, notaba actitudes y comportamientos dentro de su comunidad religiosa que no eran compatibles con las enseñanzas que había recibido en la misma iglesia. A la par con sus nuevos aprendizajes, aún seguía asistiendo a la iglesia y muchas veces sentada en el banco durante el servicio religioso, en sus conversaciones con Dios, le pedía que, si había algo más que comprender, algo más allá de los dogmas con los que había crecido, que, por favor, se lo mostrara. El dios que adoraban en su iglesia se volvió constrictivo para todo lo que ella estaba sintiendo y experimentando sobre la divinidad. Las cuatro paredes de la iglesia se hicieron pequeñas para la conexión que su alma anhelaba con Dios.

Mientras crecían, su padre, por otra parte, se había

encargado de que ella y sus hermanos tuvieran diferentes perspectivas religiosas y espirituales sin pretender convencerlos ni hacer que cambiaran la fe que profesaban. Esto permitió que Elena se mantuviera con una mente abierta y un corazón receptivo a otras creencias espirituales. Ambos caminos la hicieron respetuosa y amable con todo el mundo, incluso con las personas de otras religiones. Nunca sintió la necesidad de discriminar por este motivo. Su círculo de amistades en la escuela era uno interreligioso: católicos, luteranos, pentecostales y testigos de Jehová. Si hubiese habido budistas o musulmanes, también hubiesen estado incluidos, lo cual sí pudo hacer más adelante en su vida. Elena nunca tuvo problemas en abrazar las diferentes creencias, sentía que esto enriquecía su existencia. **No fue lo que aprendió en la iglesia, pero sí lo que su corazón le dictaba.**

Las cuatro paredes de la iglesia se hicieron pequeñas para la conexión que su alma anhelaba con Dios.

Había cosas que sentía y conocía sin saber de dónde provenían, era como un conocimiento profundo que ella albergaba. A raíz de su contacto con la doctora Margarita, y luego con Rosa, comenzó a cuestionarse lo que le habían inculcado. Los caminos se fueron abriendo ante ella y comenzó una búsqueda espiritual que la llevó a conocer diferentes filosofías, religiones y prácticas espirituales. En el proceso, logró entender que a todas las une un hilo sagrado e inquebrantable y que era a ese hilo conector al que le prestaría atención.

Un día de terapia con su maestra Rosa, mientras

conversaban, sintió un olor a rosas que impregnaba todo el espacio. La rosa es la flor con la frecuencia vibratoria más elevada en el mundo vegetal, y esa vibración trasciende la dimensión física. Rosa le explicó que era la presencia de Madre María que se estaba manifestando, fue la primera vez que Elena lo experimentó, pero no la última. María es la gran madre, representada en todas las culturas con diferentes nombres y simbologías. Ella es la madre de todos, no solo de los católicos, sino de todos los seres que habitan este planeta. Es el gran recordatorio de la parte femenina y maternal de Dios.

En su nueva vida luego del divorcio, Elena daba clases en una universidad católica por lo cual toda la iconografía era referente a María o Jesús. Además, la iglesia católica estaba frente al edificio donde daba clases. Su gran amiga y colega, Azucena, era una mujer católica devota de «**La Madre**», como ella le decía. Elena bromeaba con ella y le decía: «Tú y yo hemos sido monjas del mismo convento en otra vida» porque compartían un profundo sentido de lo sagrado, lo sublime y del silencio. Tenían conversaciones muy profundas y hermosas sobre estos temas. Un día, mientras Elena conducía de camino a dar sus clases, sintió un llamado: debía entrar a la misa. No entendía de dónde venía esta idea, ya que hacía cuatro años que daba clases en este lugar y nunca se le había ocurrido semejante idea. Al entrar al edificio donde daba clases y pasar frente a la biblioteca, notó que habían colocado una figura de María con una cajita para poner peticiones, nunca la había visto. Cuando terminó su clase, decidió hacer caso y entrar a la misa de mediodía. Ella no tenía idea de cómo era o qué hacían. Solo había entrado a una iglesia católica en su infancia, cuando su mamá era católica. Al no tener la conexión con Madre María a través de su práctica religiosa, la tomó por sorpresa cuando sintió su llamado, ¿por qué ella y para qué? El culto a Madre María no era parte de los dogmas que practicaban en la iglesia evangélica, se reconocía como la madre de Jesús sin mayor énfasis, con juicio y hasta burla de quienes sí lo hacían.

En otra ocasión, algo la despertó a las 5:30 a. m., esta vez el llamado era para que fuera a la misa de las 6:00 a. m. de la iglesia católica cerca de su hogar. Sin pensarlo mucho, se visitó y llegó a la capilla. Al entrar y dirigir su mirada hacia el altar, la virgencita que tenían en adoración era la de Fátima, estaban celebrando el mes del rosario dedicado a ella. Al mirarla, las lágrimas brotaron de sus ojos, era ella quien la llamaba, lo sintió en su corazón. Elena reconectó con Madre María a través de la advocación a la Virgen de Fátima o como se le nombra oficialmente Nuestra Señora del Rosario de Fátima. **El rosario se representa con una corona de rosas y es una herramienta que enfoca las oraciones de quienes lo recitan como acto de fe y plegaria.** Es una de las apariciones marianas más conocidas, ocurrida en Cova Da Iria, Fátima, Portugal, entre el 13 de mayo y el 13 de octubre de 1917, cuyos testigos fueron tres niños pastores, Lucía, Francisco y Jacinta. El mundo estaba en medio de la primera guerra mundial y Portugal había entrado a la guerra. La «señora bonita», como los niños la llamaron, se les apareció sobre un árbol de encina mientras ellos pastoreaban su rebaño. En la antigüedad, el árbol de encina era considerado un árbol sagrado.

Un día, reunida con unas amigas mientras conversaban sobre Madre María, Elena comentó que sentía conexión con la Virgen de Fátima. Una de ellas se levantó de su silla como un resorte y le dijo: «Te veo, tú estabas ahí». En otra ocasión, otra amiga que era vidente, le había dicho lo mismo. Elena comenzó a profundizar en su conexión con la Madre y en su búsqueda descubrió que en una vida pasada vivió en Portugal cuando ocurrieron las apariciones.

Elena hacía mucho tiempo que sentía conexión con el idioma portugués, tanto que unos tres años antes había tomado clases para aprender el idioma. Sus compañeros de curso le decían en broma que ella ya sabía portugués y no quería admitirlo, parecía que lo recordaba en vez de aprenderlo por primera vez. Lo que sí sabía Elena es que cada vez que salía de la clase y se subía a su vehículo de regreso a su casa, la embargaba un llanto sin consuelo, sentía una nostalgia en lo profundo de su alma. Cuando descubrió sobre su vida pasada, le tuvo todo el sentido: su alma recordaba.

En una ocasión, atendió a una clienta a quien le notó una medalla que le colgaba del cuello. Elena le preguntó si era una medalla de la Virgen María, la clienta le respondió afirmativamente, y que era de la Virgen de Fátima. Elena le comentó que tenía mucha conexión con ella y que soñaba con poder ir a visitar el Santuario en Portugal. La mujer le respondió con una certeza inexplicable: «Vas a ir, ya verás que sí, y más pronto de lo que piensas». Elena quedó sorprendida, con la sensación de que esas palabras habían sido proféticas. Sin ella planificarlo, en menos de cuatro meses, Elena estaba viajando a Portugal.

Fue una verdadera odisea llegar, había perdido el vuelo de conexión y tuvo que tomar un tren con once horas de viaje hasta llegar a Lisboa. Al día siguiente de su llegada, se fue rumbo al Santuario de Fátima, erigido en el mismo lugar donde ocurrieron las apariciones. Es considerado uno de los centros de peregrinación católica más importantes del mundo. Apenas dos semanas antes, se había celebrado el centenario de las apariciones. De camino en el bus hacia el santuario, Elena sentía que la Madre María le hablaba, la escuchaba en su corazón y le decía: «Vas a volver para traer a otras personas a visitar el santuario». A Elena le bajaban las lágrimas de asombro.

Una vez llegó a la estación, a unos pocos pasos del inmenso complejo que compone el santuario, Elena comenzó a andar y mientras más se aproximaba, más intenso era el llanto que la abrazaba. Sentía que regresaba a un lugar conocido y lleno de memorias. Su ser, su alma reconocía la esencia de este lugar. Se dedicó a recorrer cada rincón, cada espacio, a escuchar la misa, la recitación del rosario en portugués y a visitar el pueblito donde vivían los tres niños pastores. Pudo pararse frente al árbol de encina donde ocurrieron las apariciones y que aún permanece en el lugar. Fue una experiencia maravillosa pasar el día entero en aquel lugar sagrado y místico. Tenía la certeza en su corazón de que volvería. **Esta reconexión con la Madre María marcó para Elena el fin de su noche oscura del alma, una nueva etapa se abría ante ella.** Al fin ya no sentía el vacío existencial, sentía que la vida le sonreía y ella podía sonreírle de vuelta. No dejó de tener aprendizajes y crecimiento en su camino, pero comenzó a vivirlos desde otro lugar en su interior.

En todos los años de su andar buscando profundizar en su espiritualidad, se encontró en el camino muchos maestros «espirituales» y muchos gurús. Tuvo maestros maravillosos que le trajeron grandes entendimientos. Pero también se dio cuenta de la falsedad de algunos de ellos, cuando comenzaban con una línea de manipulación o control, con el intento de imponer su verdad, asumían una postura de superioridad espiritual o recurrían a provocar la culpa si no se hacía o se pensaba como ellos. Aprendió a estar atenta cuando se activaba el ego espiritual, que es cuando las personas recurren a sus términos y conocimientos «espirituales» para justificar su comportamiento. Si comenzaba a notar estas características, Elena agradecía el aprendizaje, pero sabía que era momento de seguir su camino; ya había vivido suficiente bajo el miedo del pecado y la culpa como para tolerarlo en otras versiones y con otras caras. Tuvo el entendimiento de que cada cual tiene su camino y vive las lecciones que le toquen. Muchos pensarían que Elena estaba confundida y perdida al integrar diversas corrientes espirituales, pero es cuando más conectada se había sentido a la Fuente Divina.

> **...ya había vivido suficiente bajo el miedo del pecado y la culpa como para tolerarlo en otras versiones y con otras caras.**

Por mucho tiempo, Elena dependió de otros para obtener respuestas del plano espiritual. Muchas veces eran acertadas, pero otras veces no. Los mensajes que venían a través de otras personas, por muy bien intencionadas que fueran, siempre estaban filtrados por la experiencias y creencias de la persona que transmitía el mensaje. Fue importante esa conexión con otras personas por un tiempo en lo que ella aprendió a establecer su propia conexión. Eventualmente, Elena aprendió a ser ella su propio canal, confiar plenamente en su intuición y que cuando le llegara un mensaje a través de otra persona, debía siempre internalizar y discriminar lo que era para ella y lo que no. Aprendió claramente la diferencia entre ir donde alguien para que le diera las respuestas a buscar ayuda para que la acompañara a encontrar las propias.

Para ella era evidente que la espiritualidad no tenía que ver con religión, sino con la conexión con lo divino, lo sagrado y con cómo se manifiesta y se vive en el día a día. Comenzó a vivir desde la certeza de que todos los caminos conducen al AMOR que somos todos.

Aprendió claramente la diferencia entre ir donde alguien para que le diera las respuestas a buscar ayuda para que la acompañara a encontrar las propias.

Frutos

Ofrendar a la vida

¿De qué maneras procuras la armonía contigo y con lo que te rodea?, ¿estás en servicio a la vida y a ti misma?, ¿has dejado de ver lo sagrado en todo? Tu alma te guía y te habla, ¿cuán atenta estás a escucharla? Te invito a reconectar con lo sagrado, a crear estos espacios en tu vida diaria. Ofrendas a la vida viviendo a pleno, manteniendo la armonía contigo y con lo que te rodea.

El estrés de la vida diaria moderna, el exceso de estimulación, las preocupaciones, el constante bombardeo de noticias negativas hace que tus pensamientos te abrumen y tu sistema nervioso se sobrecargue. De repente, te ves teniendo episodios de ansiedad, fatiga mental o insomnio. Todos estos son alertas de que necesitas hacer una pausa, aquietarte y hacer silencio externo e interno. ¿Te molesta el silencio o quedarte quieta? Date cuenta de qué hay detrás de esas sensaciones.

Recuerdo cuando conocí la meditación por primera vez, todavía era un tema tabú para mí, pero la curiosidad era mucha y me parecía interesante el concepto. La primera que practiqué fue una meditación de cinco minutos centrada en el corazón. Luego participé de otros estilos, un grupo de meditación guiada, del sonido primordial, a través de la danza, enfocada solo en la respiración. Hoy día, voy fluyendo con lo que necesito en el momento, eso sí, mantengo la constancia. Los beneficios de la meditación están probados con cientos de estudios científicos y por prácticas espirituales milenarias. De la constancia depende que experimentes resultados como una mente en calma, control sobre tu respiración, relajar el sistema nervioso y abrir tu conexión a la guía divina. Hay tipos de meditación para todos los gustos y colores. Hay meditaciones guiadas, contemplativas, en movimiento, en quietud y silencio. Encuentra la adecuada para ti, explora cuál se alinea con lo que necesitas en este momento y establece una práctica diaria.

Una herramienta vital para mis espacios de meditación son los aceites esenciales, los utilizo diariamente hace más de diez años. He incorporado la aromaterapia en mi vida con el fin de promover el bienestar dentro de una visión holística. La aromaterapia es el uso de aceites esenciales aromáticos que proveen beneficios sensoriales y terapéuticos. Se consideran el espíritu vivo de la planta y tienen la resonancia energética más alta en la naturaleza.

Las moléculas aromáticas de los aceites esenciales entran en contacto con el bulbo olfatorio y es registrado directamente en el cerebro atravesando la barrera hematoencefálica, por lo cual tienen acceso directo a la amígdala cerebral (sistema límbico), que es el asiento del procesamiento emocional en el cerebro y regula nuestras emociones y memorias.

Inhalar los aromas de aceites específicos puede provocar profundas respuestas emocionales que te ayudarán a levantar el ánimo, enfocarte, relajarte y trabajar memorias. Además, el olfato es el sentido más reportado en relación con milagros o estados de consciencia superior, ya que los aromas tienen la capacidad de conectar la dimensión espiritual con la física. Como apoyo a la meditación, ayudan a aumentar la oxigenación, a activar la respuesta de relajación en el organismo, a calmar los pensamientos y promover la eficacia del estado meditativo.

Cuando era niña, jugaba con mi hermana a hacer perfumes, luego, de grande, descubrí la aromaterapia y me dediqué por años a estudiarla. Para este tiempo no sabía la diferencia entre una fragancia, un aceite esencial comercial y un aceite esencial de grado terapéutico. Los primeros dos pueden tener un olor agradable, pero no te apoyan a nivel celular porque son compuestos diluidos, adulterados o artificiales. Cuando incorporé aceites esenciales cien por ciento puros, noté la diferencia en mi bienestar físico y emocional, pero no solo yo, sino la gente a mi alrededor me preguntaba qué estaba haciendo que me veía diferente. Yo les respondía: «¡aceites esenciales!». Son una herramienta rápida, eficaz y sencilla de incorporar a tu vida diaria. Y lo mejor es que siempre vas a oler rico, al menos eso me dice mi sobrina desde pequeña: «¡Tití, siempre hueles rico, a aceititos!».

Reto: **Practica el agradecimiento**

¿Agradeces cada centavo que llega a tus manos, cada alimento, oportunidad, personas, actos? Lo que agradeces se multiplica. La gratitud te ayuda a enamorarte de la vida que ya tienes y, desde esa relación de amor, a manifestar la vida que eliges vivir conscientemente.

Vivir en gratitud te regala un cambio de paradigma y un nuevo estado de consciencia. Es la llave maestra que te abre las puertas a la abundancia, el reconocer que lo que tienes es suficiente y que lo que necesites te será provisto. Te sintoniza con la aceptación y apreciación de las cosas como son para moverte en la dirección de lo que deseas manifestar en tu vida. Una manera estupenda de practicar la gratitud es manteniendo un registro diario. Te recomiendo mantener una libreta donde cada noche hagas un recuento de lo que agradeces que haya ocurrido durante tu día. En la medida que prestes atención, tendrás cada vez más motivos para agradecer. Para arrancar tu día, tan pronto abras tus ojos, da gracias por el día que está comenzando; esto sintoniza tu energía de ese momento en adelante.

Recuerda que donde pones tu atención, diriges tu energía.

Test:

Con total honestidad, asígnale un número a las siguientes aseveraciones según esta escala:

1 = Nunca / Totalmente en desacuerdo

2 = No a menudo / En desacuerdo

3 = A veces / Quizás

4 = A menudo / De acuerdo

5 = Siempre / Totalmente de acuerdo

■ Practico regularmente la meditación, la oración, el rezo o la contemplación.

1   2   3   4   5

■ Soy consciente de mí misma, reflexiva y consciente de mis pensamientos, acciones, motivos.

1   2   3   4   5

■ Nutro mi espiritualidad.

1   2   3   4   5

■ Soy consciente de la interconectividad de todas las cosas.

1   2   3   4   5

185

Tu Espiritualidad

■ Puedo pensar por mí misma.

    1   2   3   4   5

■ Tengo confianza en mi conexión espiritual.

    1   2   3   4   5

■ Estoy a gusto en el silencio.

    1   2   3   4   5

■ Me encanta hacer este tipo de cuestionarios y autoindagación.

    1   2   3   4   5

■ Me gusta pasar tiempo en la naturaleza.

    1   2   3   4   5

Suma la puntuación de cada una de las aseveraciones.

Total:

Espiritualidad

Tu sistema de creencias está basado en lo que te dijeron que era válido, aun cuando en lo profundo de tu ser sintieras que hay más. Buscas y buscas fuera de ti y sigues sintiendo el vacío. ¿Verdaderamente estás en sintonía con tu práctica religiosa o espiritual?

Vives una falsa espiritualidad cuando predicas, pero no actúas concorde a tus prédicas; experimentas desconexión cuando te sientes el centro del Universo, actúas para hacer daño y luego buscas excusas para justificarte. Por otro lado, puedes estar conectada a tu espiritualidad de manera nata cuando ves belleza en todo, procuras vivir en balance de manera inofensiva, disfrutas el silencio como una oportunidad de conexión y demuestras a través de tus actos tus valores.

El concepto de «inofensividad» lo aprendí en un grupo de teosofía del cual participé cuando inicié la búsqueda de nuevas perspectivas espirituales. Este concepto de «obrar sin dañar» fue el más significativo; el procurar que cada acción sea sin intención de ofender al otro. Me maravillaban los conceptos que se discutían y cómo integraban conceptos espirituales junto con la ciencia y la física cuántica. También aprendí que la teosofía propone que todas las religiones surgen a partir de una enseñanza o tronco común, que han quedado ocultos bajo el velo de las doctrinas que se fueron elaborando con el correr de los siglos, llevando muchas veces a contradecir la enseñanza original. En eso me enfoqué en los años siguientes, en conectar con las enseñanzas a las que les podía sacar provecho, sin doctrina y sin ataduras. Cuando aprendí que había una manera de conectar con la Divinidad que no fuese a través de una sola religión, me pareció fascinante y a la vez un gran alivio.

Reflexiona si tu práctica religiosa o espiritual te invita a discriminar, juzgar, dividir, señalar o dañar, de ser así, te invito a que consideres que ese no es el lugar o la manera de practicarlo. ¿Qué tal si nos enfocamos en lo que nos une mientras respetamos las diferencias? Desde la consciencia de unidad, reconoces que no estás separado del otro, por lo tanto, lo que dañes en el otro, lo dañas en ti. Todo está interconectado. La separación es una ilusión, aunque se viva como una realidad. El juicio es lo contrario a la unidad porque separa y divide. Lo que juzgas, habla de ti, no del otro, y esto puede ser muy difícil de ver y aceptar. No te digo que todos tenemos que creer lo mismo, te hablo de respetar las diferencias y de enriquecer tus perspectivas. Puedes ser fiel a tu verdad en la medida que no pretendas imponerla. No es tarea fácil, ya que requiere autobservación y atención constante a nuestros pensamientos y acciones hacia el otro.

Si algo no resuena contigo, si en tu corazón sientes que hay algo más que aún no conoces, pide guía para que se te revele aquello que necesitas y estás lista para conocer. La respuesta va a llegar a ti.

«Libero y suelto todo lo que no sea mío,
libero y suelto todo lo que no es amor.
Lo libero todo a la Fuente, a la Fuente de Vida.
Lo libero todo a la Fuente, a la Fuente de Luz y Amor».
– Autor desconocido

Este canto sagrado me gusta hacerlo cuando me siento cargada y con poca claridad. Te invito a que definas qué es para ti la espiritualidad y cómo quieres vivirla, a encontrar una práctica diaria para cultivarla. Tu corazón conoce el camino, déjate guiar.

«Por sus frutos los conoceréis». –
—Mateo 7:16

Oportunidad: **Estar en silencio y conectar con la naturaleza**

Recuerdas si en tu niñez eras espontánea, te maravillabas ante la belleza de la naturaleza en todas sus expresiones, disfrutabas mojarte en la lluvia, trepar árboles, encontrar insectos, jugar con la tierra. Una de las mejores maneras de conectar con tu ser espiritual es a través del contacto con la naturaleza. Pasar tiempo en la naturaleza es mi mayor refugio, me ayuda a autorregular mi energía y estado de ánimo. Además, como arquitecta paisajista, tengo una profunda conexión con la naturaleza y el medioambiente. Hay teorías que establecen cómo los niños modernos han perdido ciertas habilidades y destrezas por el hecho de que ya no juegan en el exterior. *Last Child In The Woods: Saving Our Children From Nature-Deficit Disorder* es un libro del autor, escritor y periodista estadounidense Richard Louv, que documenta cómo perjudica a los niños y a la sociedad el «trastorno por déficit de naturaleza» o la disminución de la exposición de los niños a la naturaleza. El libro concluye que la exposición directa a la naturaleza es esencial para el desarrollo saludable de la infancia y para la salud física y emocional de niños y adultos. Si los niños no están expuestos es porque los adultos tampoco lo están.

En el 2018, conocí a Eva Julián a través de un vídeo en internet que una amiga me compartió, en el que ella hablaba de los sonidos de la naturaleza y de cómo el ser humano ha perdido la capacidad de escucharla. Eva trabaja con la aplicación terapéutica bioacústica de sonidos de la naturaleza y se ha dedicado a investigar y realizar grabaciones por varios lugares naturales del planeta sin intervención o presencia de ruidos producto de las actividades humanas. Gracias a su investigación ha logrado la comprobación de las propiedades terapéuticas y sagradas que poseen los sonidos que emite la tierra y todos los seres de la naturaleza. Ese mismo año, viajé a España para participar de una formación de Comunicación Consciente con la Naturaleza y Bioacústica aplicada al Bienestar Emocional. Durante el curso tuve una experiencia de inmersión en la naturaleza. Aprendí la importancia de sintonizar y estar en silencio para permitir que los propios sonidos de la naturaleza modifiquen mi frecuencia vibratoria, esa sintonía que se genera en el ser permite la armonía.

¿Quién no ha ido al bosque, al río o la playa y regresa renovado, libre de estrés? Cuando pasas tiempo en silencio en un ambiente natural, sus sonidos, a través de las frecuencias de sus campos vibratorios, tienen la capacidad de hacerte reconectar con tu equilibrio vital. Te invito a conectar y disfrutar de la armonía y sanación que están disponibles para todos los seres que lo permiten. Cuando tengas una carga emocional muy pesada, ve a la naturaleza, pide permiso para estar allí, explica tu situación, entrega la carga y siente cómo te armonizas. Somos bendecidos cada vez que nos sumergimos en espacios naturales porque reconectamos con nuestra propia esencia. La naturaleza te enseña sobre la quietud, la transmutación, el fluir con el cambio. Separa al menos un día en tu semana para establecer el contacto con la naturaleza, un parque, un jardín, el mar, el monte, un río; que se convierta en tu espacio sagrado de reconexión. Trae la naturaleza a los espacios que habitas con plantas, rocas, de esta manera invitas su sabiduría a tu hogar, tal como lo aprendí en la formación.

Estoy en un camino de infinitas posibilidades, guiada y protegida.

Mensaje del Árbol Sabio:

"Conoce la calidad del fruto que das para saber si endulza o amarga. Disuelve el apego a tus creencias y descubre otras perspectivas."

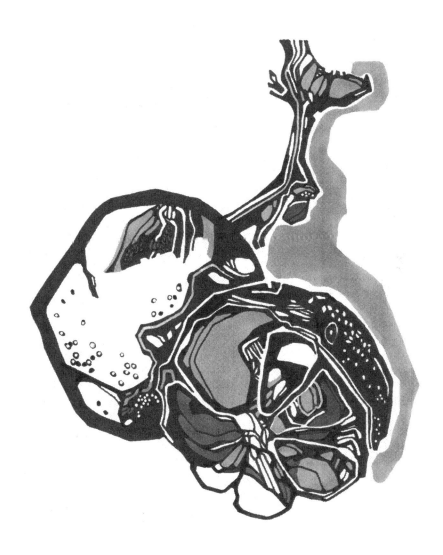

VIII. La semilla cumple las
funciones de dispersión, protección y reproducción
de la especie. Contiene el potencial absoluto y la
información de la especie. Depende del lugar donde
caiga si tendrá posibilidad de emerger y de cómo será
su desarrollo.

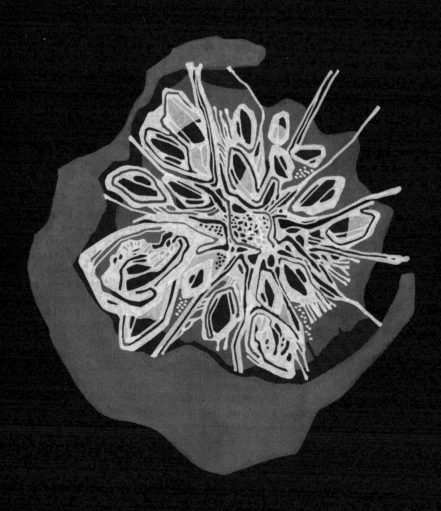

Semillas

Gran parte de su vida, Elena procuró usar ropa holgada, nada que mostrara su silueta y mucho menos escotes. Su cuerpo se había desarrollado muy temprano en su preadolescencia lo que causó una diferencia evidente entre sus pares, y comentarios no solicitados de los adultos acerca de los notados cambios y la voluptuosidad de su cuerpo. Su arreglo personal era mínimo, ya que lo que aprendió mientras crecía fue a ser modesta y recatada. Ella no se atrevía a mostrar o destacar sus atributos y hasta hacía todo lo posible por esconderlos. Ya de joven, cuando se le ocurría arreglarse diferente, era notada e incluso recibía comentarios halagadores y eso la incomodaba mucho. Mientras estuvo casada, su esposo prefería que ella usara colores pasteles y suaves en la ropa y aun en el esmalte de uñas o el lápiz labial. No era un hombre celoso, pero por alguna razón él entendía que esos tonos eran más agradables. Aunque para ella no era importante, le incomodaba sobremanera que él quisiera verla tan apagada. «¡Uy, qué color tan llamativo y fuerte!», le dijo en una ocasión que se puso por primera vez un esmalte color rojo. Elena sentía que no era bien recibido expresarse desde su parte más femenina y sensual, por lo cual la mantuvo rezagada. No tenía que ver con una obligación de tenerse que arreglar o maquillar de cierta manera por ser mujer, tenía que ver con lo que reprimía por no sentir la aprobación externa de expresarlo.

...tenía que ver con lo que reprimía por no sentir la aprobación externa de expresarlo.

Elena sabía que venía arrastrando tabúes y prejuicios con respecto a la sexualidad. Desde el comienzo de su matrimonio, la intimidad sexual fue escasa, con amor, pero sin chispa. No se atrevía a iniciar el contacto sexual por miedo a lo que él pensara de ella y, cuando al fin se atrevía, su esposo no le correspondía. Mucho menos se animaba a decirle lo que le gustaba y, cuando lo hacía, él no la complacía. Le causó mucha frustración esta extraña dinámica. Por mucho tiempo pensó que él no le prestaba atención hasta que un día, a insistencia de Elena, participaron de un taller de sexualidad para parejas. Cada cual tenía que escribir una lista de las cosas que a su pareja le gustaban en la sexualidad. Cuando Hazel le leyó la lista, ella por poco infarta, él sabía con detalle impecable las cosas que a ella le gustaban en la intimidad. ¡¿Por qué rayos no las practicaba si las conocía tan bien?! Esto significó para ella que, por alguna misteriosa razón, a él no le daba la gana de complacerla, lo cual sumó a su frustración.

Anterior a este evento, Elena había buscado ayuda con una terapista sexual que básicamente le dijo: «Tienes que poner de tu parte y cooperar», que estaba muy reprimida, lo cual era cierto, pero esas sugerencias no la hicieron sentirse comprendida, ni le sirvieron mucho para lograr cambios. Creyó que el problema era ella. Varios años después, debido a que continuaba con sus dudas, visitó a otra terapeuta que le dijo: «Nena, flojita y cooperando con tu marido». Con esta segunda, le pareció una aberración que se atreviera a decirle semejante estupidez.

No hubo cambios luego de este taller y la relación se fue desmoronando en el desinterés y la distancia, agravada por el consumo continuo de alcohol por parte de Hazel que fue matando el deseo en ambos. Él no quería aceptar que tenía un problema ni tampoco su familia. Ella trató por muchos años de rescatarlo, pero fue inútil. Hasta que logró entender que ella cargaba el arquetipo de la salvadora y que el cambio y la sanación son un proceso de decisión muy personal. Elena no podía rescatarlo, por más que tratara y quisiera salvar su matrimonio. Hay relaciones o situaciones que no se pueden sostener y toca dejarlas caer. Además, él solo le estaba reflejando sus propias carencias.

No fue hasta que conoció a Ilán, –quien le recordaba la posibilidad del placer que podía sentir en su cuerpo– que se dio cuenta de que había estado muerta en vida. Con solo sentir la cercanía de Ilán, partes desconocidas de ella despertaban como nunca. Era un hombre con una fuerte energía masculina y con solo una mirada o un roce de manos era suficiente para encenderla. Fue fascinante el encuentro con esa otra mujer que la habitaba y que había estado silenciada. Ilán fue, en esencia, un amor platónico, ya que a través de los años, luego de su divorcio, ella añoraba mantener el contacto con él, pero se había vuelto escurridizo e inaccesible. Tardó años en darse cuenta de que no era correspondida porque estaba sumergida en la fantasía de que la conexión de almas sería suficiente para mantenerlos juntos. Elena apenas estaba comenzando un camino de autodescubrimiento y él solo había llegado a su vida para despertarla. Al no ser posible una relación de pareja con Ilán, se abrió a compartir con otras personas.

En esta etapa luego de su divorcio, fue descubriendo un nuevo mundo de experiencias, sensaciones y posibilidades. Se estaba dando el permiso de vivirlo diferente, pero seguía manifestando carencias y la sed por esa conexión íntima que no había vivido. En el proceso, se vio movida a emprender un camino de autodescubrimiento de su sexualidad. Algo había despertado en ella y, a pesar de los mandatos de culpa, tabúes y represión, estaba decidida a ir por más. Anhelaba encontrar una conexión que le diera un sentido profundo a su sexualidad. Para ello, primero tenía que hacer un trabajo de sanación con su propia energía femenina. Apenas comenzaba la parte más difícil de su trabajo interno, pelar todas las capas de dolor y los diferentes niveles implicados en la sexualidad de una mujer.

Tomó clases de danza árabe por un tiempo buscando esa conexión perdida con su sensualidad y a la par realizó trabajo de sanación con su vientre. Toda su vida había tenido períodos menstruales irregulares y varias condiciones inflamatorias en su útero. Aprendió que el ciclo menstrual y su salud uterina revelan mucha información relacionada con el linaje femenino. Sumado al trabajo intenso que hizo con el tema de la maternidad, sabía que debía trabajar con la memoria celular que cargaba su útero. Participó de círculos de mujeres donde pudo profundizar en estos temas acompañada de variadas experiencias sobre ser mujer. Aprendió sobre el poder del canto como medicina, y su canción favorita lo fue:

«Vientre sagrado, centro de poder,
tú que guardas las memorias de todo el ayer,
limpio mi pasado, vuelvo a renacer,
floritura hermosa ábrete al placer».
– Autor desconocido

Uno de los trabajos más significativos fue la terapia de sanación con el huevo de obsidiana, un tratamiento de carácter energético que ayuda en el trabajo de limpieza de las memorias negativas sexuales de la mujer, trayendo como consecuencia liberación de energía a nivel psicoemocional. Requería insertar el huevo en la vagina donde permanecía toda la noche y en la mañana era expulsado de manera natural. Esto era algo totalmente fuera de su zona de comodidad, pero cuando conoció de esta práctica, supo con certeza que era para ella. Se enfrentó a sus temores y vivió el proceso que tomó un ciclo de tres meses en el que, cada tres semanas, usaba el huevo y descansaba una semana, luego repetía el ciclo según sintiera que quedaban temas por sanar.

También trabajó con Lila, una «coach» que se dedicaba al empoderamiento femenino, quien la guio a reconectar con su parte sensual para que se atreviera a expresarla. La retó a arreglarse diferente, a sacarle partido a sus atributos y a no tener miedo de ser vista y notada desde su lado coqueto y sensual. Elena puso en acción todas las recomendaciones que exploraron juntas y vivió un cambio notable en sí misma y en cómo era percibida, le dejó de incomodar ser notada y comenzó a disfrutarlo.

Con todos estos procesos y experiencias, Elena logró

la comprensión de que su insatisfacción no tenía que ver con «cooperación» como le habían dicho las terapistas que consultó antes, tenía que ver con la necesidad de encontrarse consigo misma y de sanar memorias. No conocía su cuerpo ni era capaz de reconocerlo como fuente propia de placer y gozo. Su energía sexual estaba dormida, desconectada del flujo salvaje y primal que habita en toda mujer y que muy pocas tienen la oportunidad o el permiso de expresarlo.

Primer paso, dejar de ver su cuerpo físico como el origen del pecado. Segundo, aprender y estudiar otras visiones y filosofías sobre la sexualidad y el placer. Tercero, darse permiso de vivirlo diferente. Cuarto, cambiar por completo su paradigma entendiendo la dimensión espiritual que alberga la sexualidad.

Para seguir aprendiendo sobre el manejo de su energía sexual, se interesó en explorar la sexualidad desde la visión del Tantra, que se confunde con muchas cosas que no son como creer que tiene que ver con hacer piruetas en las posiciones sexuales o, por el contrario, que es aburrido porque solo es mirar sin tocarse. Hay personas que lo practican de muchas maneras diferentes, según lo interpretan o les parece conveniente, pero, en esencia, para Elena representó una manera de adueñarse de su placer con el fin de vivir una sexualidad plena y consciente, comenzando con la relación con ella misma, conectando el sexo con el corazón y la espiritualidad, viviendo desde la plenitud de la vida misma. Descubrió una facilitadora de Tantra quien lo trabaja desde la búsqueda del éxtasis en la vida diaria, en consciencia y desde el amor a todo. Ella explica que, a diferencia de otras prácticas, el sexo en el Tantra se considera como una vía al éxtasis, contrario a las religiones tradicionales que lo juzgan como fuente de pecado, culpa y vergüenza. Elena sentía que la facilitadora hablaba el nuevo lenguaje que estaba integrando para su vida y su sexualidad.

Para profundizar con su conexión, decidió participar de un taller de Tantra. Las herramientas claves fueron ejercicios de respiración y de movimiento de energía a través de los centros energéticos del cuerpo. En uno de estos ejercicios, mientras movía su energía, sentía algo que buscaba liberarse en su cuerpo. Tenía un bloqueo en el área de su vientre que impedía el fluir armonioso de su energía sexual. Sostuvo el momento de incomodidad que se generó y que se liberó a través de un intenso llanto y dio paso a la explosión de plenitud y placer que sintió cuando logró atravesar el umbral del miedo de sentir, con todo su ser, esta pulsación que generaba sus cuerpos físico y energético. Fue un momento glorioso acompañado de lágrimas y risas. Esta experiencia develó una nueva versión de sí misma radiante y segura. Cuando regresó del taller, sus amistades le preguntaron: «¿Qué has hecho que te ves rejuvenecida?». Ella solo las miraba y sonreía.

Fueron muchas metamorfosis en el camino recorrido a través de los años, pero esta era una muy significativa, lo podía sentir en todo su ser que vibraba en otra frecuencia. Elena estaba abierta como una flor queriendo disfrutar la vida al máximo.

En este momento de esplendor, quería compartir este nuevo fruto con quien estuviera dispuesto a vivirlo desde este mismo lugar. Fue cuando llegó a su vida Narciso III, a quien conocía hacía más de un año, pero no habían tenido ninguna interacción romántica entre ellos, solo una relación cordial. Narciso III era un tipo galante, de buenos modales, caballeroso. Elena vio una oportunidad de explorar esta nueva versión de ella y le mostró apertura, y él no perdió oportunidad en conquistarla. La primera salida fue muy casual y espontánea, era evidente la atracción entre ambos. De manera inmediata, Narciso III comenzó a desbordarse en atenciones, invitaciones a cenar, mensajes de texto, conversaciones, detalles y a incluirla en su círculo familiar. Elena quedó prendada de manera inmediata y reciprocaba lo que recibía. Estaba feliz. ¡Qué maravilla encontrar un hombre tan decidido desde el comienzo! Había mucha complicidad entre ellos, la pasaban muy bien juntos y había muy buena química sexual. Este hombre no tenía problemas de alcoholismo, tenía estabilidad en su vida y podía expresarse con él desde un lugar auténtico en su sexualidad. Elena estaba segura de que con él sería diferente porque ella se sentía diferente. Al fin veía desvanecerse el patrón que había arrastrado por años en las relaciones románticas.

Las semanas transcurrían y todo iba fluyendo de manera divina, excepto una que otra cosa que Elena notaba que no le encajaba, pero no le prestó atención, *total, nadie es perfecto*. Eran algunos comentarios dispersos relacionados a cómo se vestía, lo que comía, a cómo debía hacer las cosas. En ocasiones, le respondía como si estuviera enojado por cosas que ella entendía no ameritaban esa reacción. Elena se quedaba de una pieza, inmóvil, pero lo achacaba a la personalidad perfeccionista de él. Sin embargo, las manifestaciones de control y exabruptos que venía notando por parte de Narciso III se hicieron más frecuentes e intensas, tanto así que Elena comenzó a sentirse realmente incómoda. El ignorar las pequeñas señales resultó en una bomba de humo que le nubló la visión. Nuevamente, no se tomó el tiempo de conocer verdaderamente quién era Narciso III detrás de lo que aparentaba o, quizás, de lo que ella quiso ver.

Un día cualquiera, Elena le refutó uno de esos comentarios acerca de su vestimenta y con gran frustración le dijo: «Quiéreme como soy». Hubo silencio. El tema no se volvió a tocar, simplemente, lo dejaron pasar por alto. En otra ocasión, Narciso III pretendía que ella dejara lo que estaba haciendo para ir a encontrarse con él. Elena le explicó que no era posible porque tenía una responsabilidad que cumplir, que se podían ver cuando ella terminara. Como castigo, la ignoró el resto del día. Al notar este comportamiento, Elena le preguntó qué ocurría y, como un niño con una pataleta, le recriminó que no estuviera disponible para ir a verlo. La incomodidad entre ellos había crecido a cuentagotas y cuando llegó a este punto, ya era muy tarde para contenerla. Entraron en una discusión sin sentido que no tenía ni pies ni cabeza, él estaba decidido a malinterpretar lo que ella dijera.

Elena no se percató a tiempo de este desborde emocional que se asomaba en ella y no lo pudo controlar. Había pasado por alto las señales de incomodidad en su cuerpo. Había dejado su rutina de ejercicios, no estaba descansando lo suficiente, había dejado actividades de interés para ella con tal de pasar tiempo con él. La sombra de ambos, es decir, sus niños internos heridos, se apoderaron de la situación dejando a los adultos incapacitados para llegar a acuerdos sanos. No hubo manera de sostener la conversación hacia la comprensión ni una resolución que representara un punto medio entre ambos. Fue el detonante de lo que quedaba sin sanar de su herida de abandono y su niña interna, al sentir la experiencia de abandono aproximarse nuevamente, se rebeló. Tampoco le tocaba controlarlo, era la señal de alerta de que se estaba olvidando de sí misma, estaba cediendo su tiempo y sus necesidades a costa de sostener la relación. Se estaba olvidando de ser su propia prioridad... y su niña interna se lo estaba recordando a través del desbordamiento emocional que no pudo contener.

Venía sintiendo cómo se iba apagando en esta relación, él pretendía domesticarla y que se amoldara según su criterio, pero a ella le había costado mucho encontrarse consigo misma como para permitirlo. Ante todo, Elena entendía que eran temas que se podían atender con una comunicación efectiva, estableciendo de manera honesta lo que había detrás de esta dinámica, las heridas detonadas en ambos. No hubo disposición en Narciso III de mirarlo juntos para trabajarlo. Una verdadera relación de pareja es la que se crea una vez pasa la fase de fantasía y enamoramiento, si no se supera esta prueba, la relación no se puede sostener. Narciso III en apariencia estaba disponible, pero resultó que tenía su corazón cerrado, no había sanado con relaciones anteriores y esto lo estaba arrastrando a cuestas, fue como chocar con un muro sólido e impenetrable.

—Necesito espacio —le dijo él.

Un espacio que no pidió de vuelta, un espacio que se hizo más grande, hondo y lejano. Pasaban los días y él ponía excusas para no verla. Elena procuró un encuentro, tomarse un café juntos, una llamada para conversar tranquilamente, sin embargo, ante la negación de él para verse o conversar, al pasar de los días fue evidente la separación. Desapareció de la vida de Elena con la misma determinación con que la conquistó. Elena quedó desconcertada, no hubo una conversación de acuerdos o de cierre, él solo había pedido espacio, pero no dijo que era indefinido. Con la falta de respuestas y lo drástico de la ruptura, se vio envuelta en una nube de incertidumbre y pena.

> **Una verdadera relación de pareja es la que se crea una vez pasa la fase de fantasía y enamoramiento, si no se supera esta prueba, la relación no se puede sostener.**

Tenía claro que este no era el tipo de relación que quería sostener y tocaba soltar, mirar dentro de sí misma y vivir el duelo. Elena reconoció que tenía que pasar la página, esta vez escogía hacerlo diferente, se elegía a sí misma. Cero enganche, cero rescate, cero drama.

> **...esta vez escogía hacerlo diferente, se elegía a sí misma.**

Algún aprendizaje escondía esto que estaba viviendo y que había manifestado en un momento de su vida en que se sentía tan conectada. Hacía mucho tiempo que Elena había dejado de creer en las casualidades y, mucho menos, hacerse la víctima.

Reconoció que necesitaba manejar la pérdida y la desilusión tan grande que sentía y buscó consejo con Violeta, su segunda maestra espiritual. Ella la invitó a indagar en lo profundo de su ser para encontrar la verdadera raíz del impacto que esta corta, pero intensa relación había dejado en ella. Violeta le explicó que, aunque ella ya había hecho mucho trabajo interno para sanar su herida primaria, algo faltaba por mirar, algo que había pasado por alto o que estaba tan escondido que provocaba la activación inconsciente de la herida.

Violeta le sugirió: «Debes entrar en un espacio interno de mucho silencio, pide guía divina y permite que llegue a ti la respuesta». Añadió: **«Querida, te vas a parir a ti misma en el proceso»**, le dijo asegurándole que era un momento cumbre en su vida.

Así lo hizo, se adentró en el proceso y fue entonces que a su memoria llegó un evento que siempre había recordado, pero que había pasado por alto sin entender las implicaciones. La escena la vio claramente tal como si hubiera ocurrido ayer. Tenía siete años, estaba en la cocina de su casa cuando escuchó a su madre que se acercaba donde ella llorando desconsoladamente. Se encontraron frente a frente, la madre tenía unos papeles en la mano. Elena la miró asustada y le preguntó qué pasaba.

–Se fue, tu papá se fue –respondió sollozando.

La madre de Elena tenía en sus manos la carta donde

su papá le anunciaba que se iba de la casa, que se iba a vivir fuera de la Isla y con otra mujer que estaba embarazada. Elena, en ese instante, asumió la herida de abandono que estaba viviendo su mamá. A los siete años, no hay diferencia entre el cuerpo emocional personal y el de la madre, son un solo campo emocional, fue inmediato el darse cuenta del impacto de este evento en su vida. Lloró como no pudo llorar ese día, lloró por ella y por su madre. Le permitió a la niña de siete años que la habitaba encontrar consuelo y a la vez, le permitió a la adulta sanar la herida, liberarse del dolor de esa experiencia que había cargado por tanto tiempo y no le pertenecía.

La próxima escena que llegó a su mente fue el día en que su padre los visitó por primera vez luego de haberse ido; habrían pasado unas semanas. Cuando vino a verlos, permaneció en el balcón, nunca entró a la casa. En ningún momento mencionó lo ocurrido ni por qué se había marchado; ni ese día ni ningún otro día.

Mirar la raíz de esta herida fue lo que le permitió entender los patrones que había vivido, especialmente, con las parejas románticas. Aunque ya era una adulta en términos de edad, su niña interna reclamaba atención y presencia, aún sangraba por la herida. Toda su vida creyó que su herida de abandono provenía directamente de que su padre se había ido de la casa. Sin embargo, a lo largo de su vida, nunca se sintió abandonada por su padre. Sí vivió su ausencia porque no vivían en la misma casa y el poco tiempo que pasaban juntos tenía que compartir la atención de su padre con sus hermanos, sin embargo, siempre contó con su apoyo y amor. Fue un padre presente en su vida.

Su herida de abandono no fue infligida a la hija, fue absorbida desde la experiencia de su madre como la mujer que pierde a su pareja. Ella había estado reviviendo ese dolor una y otra vez con cada pareja, mientras no lo viera y lo trascendiera seguiría repitiéndose. Elena cargó la herida de abandono a través de todas sus relaciones, buscaba a su papá en cada una de estas con la incongruencia de que ninguno de esos hombres se parecía a su padre. Buscaba reparar, por amor ciego a su linaje femenino, la ausencia de la pareja de su mamá y también de su abuela. Por fin, Elena entendió, no en su mente, sino en su corazón, que nadie jamás podía abandonarla, excepto ella a sí misma cuando ponía al otro antes que ella, cuando se descuidaba de cubrir sus necesidades, cuando se olvidaba de ella misma.

Por fin, Elena entendió, no en su mente, sino en su corazón, que nadie jamás podía abandonarla, excepto ella a sí misma cuando ponía al otro antes que ella, cuando se descuidaba de cubrir sus necesidades, cuando se olvidaba de ella misma.

Reconoció que estaba cerrando un ciclo importante en esta corta, pero intensa relación con Narciso III, ya que pudo ver la evidencia del fruto de todo el proceso interno de sanación que había estado realizando por años. **Estaba lista para sembrar una semilla diferente, con información nueva, sana y coherente.**

Los Narcisos en la vida de Elena fueron sus más grandes maestros. De ellos aprendió a ponerse a sí misma como prioridad en su vida, a enamorarse de ella y a abrir su corazón desde la reciprocidad del dar y recibir. Aprendió a dejar de esperar que la eligieran, a que ella se eligiese a sí misma y, por ende, elegir a quién ella le iba a dedicar su atención y tiempo. El amor que había estado buscando afuera ya habitaba en ella. A través de sus relaciones de pareja, logró uno de los más grandes aprendizajes: descubrir la danza que se crea entre la energía femenina y masculina al entender que vivimos en un mundo dual marcado por polaridades que en todos habita. La primera experiencia con lo masculino es a través de la relación con papá, y la primera experiencia con lo femenino es a través de mamá. Lo que a Elena le faltó o recibió de uno o del otro, lo vio manifestado en su vida, reflejado en sus relaciones de pareja que «pendulaban» de una polaridad a otra.

De ellos aprendió a ponerse a sí misma como prioridad en su vida, a enamorarse de ella y a abrir su corazón desde la reciprocidad del dar y recibir.

Hazel era un hombre con polaridad femenina, era sensible y en contacto con sus emociones, pero le faltaba fuerza en su energía masculina. Esto se manifestaba al no querer ser parte de las decisiones en la relación, al no estar presente. Elena se hizo cargo a través de su energía masculina. Sabía bien cómo hacerlo porque lo había aprendido de su madre y su abuela. De esta manera, relegó su energía femenina lo que causó su resentimiento por no sentirse sostenida y por no tener el espacio para expresarla. La falta de química sexual fue reflejo de esta despolarización de sus energías.

El amor que había estado

buscando afuera ya habitaba en ella.

En el encuentro con Ilán, quien tenía una fuerte polaridad masculina, Elena tuvo el espacio para conectar con su energía femenina, sin embargo, como la tenía desbalanceada, Ilán se muestra incapaz de conectar con Elena a través de su mundo emocional y, por ende, a abrirle su corazón. Narciso I tenía ambas polaridades débiles, lo masculino, incapaz de ir por lo suyo y, lo femenino, en desconexión con su corazón; esto provocó que saliera la sombra de lo femenino en Elena, la dependencia, el drama, el querer ser escogida, la complaciente; a la vez que se encuentra en un momento en su vida sin la dirección ni la fuerza de ir por lo suyo. Narciso II aparenta conexión con sus energías femenina y masculina, pero ambas energías en desbalance y desde la sombra. Vivía en un desbordamiento de su mundo emocional con tendencia al drama y la victimización; un masculino que no se hace cargo, en rebeldía y en lucha contra el mundo. Fue la oportunidad para Elena de sanar su sombra con lo femenino, darse permiso para mostrar sus atributos como mujer y aprender a poner límites a través de su energía masculina. Al encontrarse con Narciso III, ya Elena había logrado un encuentro consigo misma desde la integración de sus polaridades masculina y femenina. Lo que le atrajo de él era que lo percibió en balance, sin embargo, en realidad no fue así: Narciso III tenía un fuerte masculino que se quiso imponer y dominar, y un femenino con miedo a conectar con sus emociones desde el corazón. Fue entonces la oportunidad de Elena para ejercer su empoderamiento de ambas energías, sostener su criterio de decidir por ella misma y de darse su lugar aceptándose a sí misma, y todo dio paso a la sanación de lo que quedaba de la herida de abandono que, hasta ese momento, creía que había sido infligida por el lado masculino (padre) y resultó que fue por el femenino (madre).

La verdadera trascendencia fue crear ese balance en su interior, desde su centro para entonces sostener y jugar con la danza de sus propias polaridades. En una relación de pareja consciente es importante sostener el balance en una misma para, entonces, en relación con el otro, permitir la tensión entre las polaridades que sostiene el balance. Se logra si ambas energías están trabajadas y sanadas en una misma. De no ser así, se entra en un juego de atracción y repulsión con las parejas. Al culminar la relación con Narciso III, era momento de aceptar su soledad como su gran compañera. Tomarse el tiempo de trascender todo su proceso, **de integrar en balance su energía masculina y femenina, de soltar el reclamo a mamá y papá y ser su propia madre y padre para convertirse en la adulta que se sostiene a sí misma. Su tiempo a solas, se convirtió en su más grande tesoro, el espacio sagrado para sostener la conexión consigo misma.**

Una relación de pareja ya no era más una necesidad que venía de una carencia, era algo que podía elegir cuando quisiera y con el hombre que verdaderamente aceptara y honrara quien ella es, tanto como se acepta y se honra a sí misma; un hombre que también esté en su centro, que entienda y esté dispuesto a mirarse a sí mismo dentro de la relación, no como amenaza, sino como motivación a ser una mejor versión de sí, y que procure, ante todo, el crecimiento mutuo y la libertad de SER.

Esparcir tu alegría

Probablemente has vivido por mucho tiempo complaciendo a los que te rodean menos a ti misma, tanto así que ya ni sabes que es lo que verdaderamente te gusta. Estar a solas es la clave para conocerte, sea que estés con o sin pareja, es necesario crear ese espacio para ti. Una manera de recordar lo que te gusta es preguntarte, ¿qué me gustaba jugar cuando era niña? En esta respuesta está la clave de lo que nutre tu alegría. Tu niña interna conoce bien lo que te conecta contigo, cuando dejas de hacerlo te desconectas de una parte importante en ti. Esa actividad que te gustaba de niña te reconecta con tu inocencia, retómala, aunque te parezca tonto o ridículo hacerlo de adulta, o busca alguna actividad que se asemeje lo más posible. A lo mejor te gustaba jugar con muñecas, vestirlas y peinarlas, ¿qué de eso es lo que más te gustaba y cómo puedes replicarlo de otra manera? Para mí, correr bicicleta es sinónimo de felicidad y libertad. Nada me conecta de manera tan instantánea con mi niña interna como esta actividad. Además, me hace recordar a mi abuela feliz y libre montada en su bicicleta.

Una de las herramientas más poderosas para elevar la energía y traer la vibración de alegría a todo tu ser es el baile. De niñas, lo hacemos de manera natural y espontánea hasta que llega el día que sientes que haces el ridículo, te dicen que es pecado o que estás llamando la atención. Esto provoca que te puedas sentir expuesta y vulnerable lo que ocasiona que tu cuerpo se vuelva rígido y tenso. Libérate de las críticas, baila a tu ritmo, mueve el cuerpo por diversión.

Toma esa clase baile que llevas tiempo postergando. Si quieres conectar con tu sensualidad, toma clases de danza del vientre; si lo que quieres es conectar con tu poder personal, toma clases de bomba; si quieres conocer gente, toma clases de salsa; o simplemente, pon tu música predilecta y muévete según lo sientas. Hay tantas opciones como gustos y necesidades. Lo que sí te aseguro es que es un despojo infalible. A mí me alegra el alma.

¿Puede existir algo más terapéutico que la risa? Creo que la risa es lo más parecido al orgasmo, esa risa que viene del vientre, que es explosiva, que no puedes contener, que te saca lágrimas de tanto reírte, que se va intensificando a medida que otros se contagian; y la mejor parte es que tienes el permiso de tenerla en público y compartirla con muchos a la vez. La mejor risa es la más tonta, la que menos sentido tiene. No hablo de reírse por burla hacia otros, te hablo de la risa desde la inocencia y la candidez de reconocer una situación, un momento divertido o una historia chistosa. Terapia total sin duda alguna, te conecta al momento presente, te ancla a tu cuerpo y te libera la mente de cualquier preocupación. Y, definitivamente, reduce el estrés y te fortalece el sistema inmune. ¿Qué te hace reír?, ¿con quiénes compartes que te causan risa?, que de solo mirarlos ya sabes que van a decir algo chistoso. Esas personas son un tesoro en tu vida. ¿Tienes espacios en tu vida solo para pura diversión, sin agenda, sin itinerario, sin propósito? Si la respuesta es no, tienes tarea. **El tiempo de ocio te permite dejar de hacer para ser.**

Tuve una pareja a quien le pedía constantemente que me acompañara a caminar a la playa, nunca lo convencí, pero lo más lamentable es que yo no me iba a hacerlo por mi cuenta. Cuando terminó la relación, un día sentí el deseo y me fui a caminar sola a la playa. ¿¡Cómo era posible que yo hubiese esperado tanto para hacerlo!? ¡Cuántas cosas dejamos de hacer esperando tener la compañía adecuada! ¡No esperes más! Hazlo por ti y para ti. Lo que no te ocupas en nutrir para ti misma lo vas a buscar desde la carencia fuera de ti y, nadie, absolutamente nadie puede llenarlo como tú lo puedes hacer. Identifica qué actividad puedes realizar sin la necesidad de compañía para que no dependas o esperes que el otro llene tu necesidad. Debes conocer con absoluta certeza qué te gusta, lo que te pone alegre y lo que sube tu vibración; y comprometerte con practicarlo por ti, para ti.

Lo que no te ocupas en nutrir para ti misma lo vas a buscar desde la carencia fuera de ti y, nadie, absolutamente nadie puede llenarlo como tú lo puedes hacer.

Reto: **Reconoce en ti la danza entre las energías femenina y masculina**

Cada energía tiene sus características. De **la energía femenina** se obtiene la capacidad de mirar hacia adentro, hacia tu mundo emocional, estar en contacto con tus necesidades. Quien esté desconectado de su energía femenina, lo está de sus emociones y de su corazón. **La energía masculina** va hacia lo externo, hacia el mundo, se mueve a tomar acción. Si estás desconectada de tu energía masculina, te va a costar establecer límites, expresar tu verdad y concretar tus proyectos. ¿Dónde has manifestado desbalance en los diferentes momentos de tu vida?, ¿puedes identificar las polaridades en tus relaciones de pareja?

En diferentes áreas de tu vida vas a necesitar expresar una energía u otra, es importante que aprendas a identificarlas y definas cuál te apoya mejor en tus necesidades y objetivos.

¿Cómo identificar la polaridad de la energía femenina en ti?

En luz	En sombra
- Estás en conexión con tu mundo emocional y sensorial. - Eres capaz de automotivarte. - Te cuidas y te alimentas bien. - Tienes la capacidad de gozar y disfrutar de tu propia vida.	- Te cuesta mostrarte vulnerable. - Te cuesta pedir y recibir ayuda. - Vives en sacrificio por los demás sin disfrutar tu vida. - Temes mostrarte tal cual eres.

¿Cómo identificar la polaridad de la energía masculina en ti?

En luz	En sombra
- Eres capaz de crear estructura con hábitos. - Sabes respetar las jerarquías. - Terminas lo que empiezas. - Eres capaz de sostener tu palabra y de comprometerte.	- Temes al compromiso. - Te falta disciplina. - No te sientes capaz de liderar tu vida. - Te cuesta establecer objetivos y cumplirlos.

Test:

Con total honestidad, asígnale un número a las siguientes aseveraciones según esta escala:

1 = Nunca / Totalmente en desacuerdo

2 = No a menudo / En desacuerdo

3 = A veces / Quizás

4 = A menudo / De acuerdo

5 = Siempre / Totalmente de acuerdo

■ **Me gusto a mí misma, me siento a gusto en mi cuerpo.**

    1   2   3   4   5

■ **He realizado prácticas de autodescubrimiento de mi energía sexual.**

    1   2   3   4   5

■ **Estoy contenta de pasar tiempo a solas.**

    1   2   3   4   5

■ **Me siento cómoda con el toque físico, tocar y que me toquen.**

    1   2   3   4   5

Tu Placer y Sexualidad

- **Me siento inspirada en mi vida.**

  1   2   3   4   5

- **Me relajo con facilidad.**

  1   2   3   4   5

- **Disfruto de orgasmos regularmente.**

  1   2   3   4   5

- **Mi vida sexual es satisfactoria.**

  1   2   3   4   5

- **Cuando me miro al espejo, me gusta lo que veo.**

  1   2   3   4   5

Suma la puntuación de cada una de las aseveraciones.

Total:

Placer y sexualidad

¿Qué tanto conoces tu cuerpo?, ¿lo que te excita?, ¿lo que te hace vibrar?, ¿cómo se mueve la energía sexual en ti? Seguramente, la culpa ha gobernado la relación con tu cuerpo y tu sexualidad. Si sufriste algún trauma sexual, cargas la culpa al igual que si te criaste en un entorno conservador o si creciste escuchando que el cuerpo de la mujer carga el pecado original. «No te toques, cierra las piernas, no te dejes calentar que después no puedes parar, tú eres la que pone el freno», estas y tantas otras restricciones, creencias o mandatos escuchaste desde tu infancia sin que te explicaran en detalle, y sin juicio, qué era la sexualidad, como consecuencia, reprimiste cada vez más la posibilidad de conectar con tu cuerpo y, por ende, de darte el permiso para sentir placer, gozo o plenitud. La virgen y la puta son polaridades irreconciliables que muchas mujeres tienen programadas. La virgen es tan pura que es inconcebible que sienta placer y la puta vive tan entregada al placer que no se concibe pureza en ella. Mujer, eres pura y placentera a la vez. No tienes que escoger una o la otra, eso es lo que nos han hecho creer. Vivimos en una sociedad de doble vara, ultrarreprimida sexualmente por un lado y, por otro, ultrasexualizada. Reconciliar esta polaridad en tu interior no es tarea fácil, pero sí es posible, más aún, es imprescindible para que conectes con tu energía vital, la energía sexual, que es tu energía creadora, gestora, la de parir una criatura o un proyecto; es puro poder creador y manifestador.

¿Te sientes a gusto con tu cuerpo físico? El no sentirte a gusto puede causar limitaciones en tu mente. Piensa qué podrías mejorar de tu apariencia física que te haga sentir atractiva para ti misma. ¿Acaso has descuidado tu arreglo personal? No me refiero a los estándares sociales o comerciales, sino a tu propio criterio, lo que a ti te hace sentir sensual. Primero necesitas gustarte tú para que, entonces, desde esa confianza y seguridad en ti misma, puedas vibrar de manera magnética y radiante. ¿Qué podrías hacer diferente? Arreglarte el cabello de otra manera, cambiar el estilo o los colores de ropa que usualmente llevas, sacarle partido a aquellos atributos que te destaquen y, la más infalible de todas, ponerte pintalabios rojo pasión, no falla. En caso de que así lo sientas, dale mayor atención a aquello que te haga sentir feliz de habitar tu cuerpo desde la aceptación y el amor a ti misma. Explora. Atrévete. Pequeños cambios pueden hacer una gran diferencia.

¡Qué mucho miedo se le tiene a una mujer empoderada en su sexualidad! Fíjate que escribí empoderada, que significa la capacidad de desarrollar la confianza y la seguridad en ti misma, en tus capacidades, en tu potencial y en la importancia de ser consciente de que tus acciones y decisiones afectan tu vida positivamente, en cualquier área de tu vida. Explora tu cuerpo con curiosidad, conoce tus ciclos, sana tu historia con el tema y los traumas sexuales que cargues.

Una cosa es que no tengas pareja con la cual profundizar en ciertas prácticas sexuales y otra muy diferente es que no tengas deseo sexual. Sostener tu energía sexual no puede depender de si estás o no en pareja. Depende de cuán enchufada estés al latido de la vida. La clave radica en conocerte, en no esperar que sea el otro quien sostenga tu energía, debes asegurarte de mantenerla tú en movimiento. La energía sexual debe poder recorrer todo tu cuerpo, no solo los genitales. No pretendas recibir el placer que tú no te sabes dar. Además, mientras te enfocas en complacer al otro, no puedes conectar con tu propio deleite porque tu atención está fuera de ti.

> **Sostener tu energía sexual no puede depender de si estás o no en pareja. Depende de cuán enchufada estés al latido de la vida.**

Algo común que bloquea a las mujeres en la capacidad de sentir placer con su sexualidad es la necesidad de controlar y la dificultad en saber relajarse. No es normal que tengas falta de libido, orgasmos ni energía sexual. Un cuerpo tenso y en alerta no puede abrirse al placer, más bien, todo lo contrario. La tensión se libera calmando la mente (meditación), profundizando en la oxigenación (respiración, aceites esenciales), moviendo el cuerpo para soltarlo (yoga, danza, deporte), moviendo los tejidos para liberar toxinas (masaje), relajando la mandíbula (risa y canto) y un corazón abierto (liberar coraza).

La sexualidad de la energía femenina está entrelazada con el corazón. Si la seguridad y confianza en tu pareja están laceradas, podría causarte dificultad entregarte por completo y tener un orgasmo físico... y ni hablar de las posibilidades de experimentar un orgasmo energético o en otros niveles. La contracción muscular que se genera en el canal vaginal a partir del orgasmo es lo que asegura que estos tejidos se mantengan irrigados, fortalecidos y por ende revitalizados.

Si reconoces que uno o varios de estos temas te detonan, busca ayuda. El tema de la sexualidad tiene muchas maneras diferentes de atenderse y puede estar entrelazado a otros tantos temas que no tienes ni idea de que están relacionados. Probablemente, primero habrá que trabajar con los bloqueos que vienen de traumas, creencias, heridas escondidas, desbalance hormonal, etcétera.

Al atenderlos proactivamente, se crea el espacio para poder vivir la sexualidad desde un nuevo lugar lleno de placer y gozo. Es un tema que merece varios libros, te dejo algunos en las referencias para que profundices y explores.

Hazte cargo.

Oportunidad: **Conecta con el placer en lo cotidiano**

El placer puedes encontrarlo a través de todos tus sentidos. Desde un atardecer, una buena música, algo exquisito que te comas, una conversación especial. ¿Cómo puedes llenar tu vida de momentos placenteros y que, a la vez, te lleven a conectar con tu energía sexual, a habitar tu cuerpo en todas sus dimensiones?

Solemos creer o, más bien, nos enseñaron, que la única manera de disfrutar la energía sexual era a través de los genitales cuando en realidad es una energía disponible para todo el cuerpo y no solamente el cuerpo físico, sino para todos los cuerpos: el energético, el emocional, el mental y el espiritual.

Desde esta expansión de la energía sexual, puedes vivir en éxtasis con todo lo que eres y haces. ¿Qué experiencias orgásmicas puedes traer a tu vida? Los genitales seguirán siendo un lugar maravilloso para disfrutar la sexualidad, pero hay mucho más.

Atrévete a descubrirlo, me lo vas a agradecer.

«El placer es un hecho subversivo en las vidas de las mujeres porque implica cumplir y satisfacer un deseo propio. Pensar en nuestros deseos, en nuestros proyectos de vida, en nuestras ganas y en lo que nosotras queremos hacer, es romper el orden para el que fuimos socializadas: el de responder a expectativas, gustos y ganas de los demás».

—María del Mar Ramón, autora y feminista colombiana

Estoy disfrutando la alegría de vivir.
Soy sexual y apasionada.
Mi energía sexual es sagrada.

Mensaje del Árbol Sabio:

"Hay que tocar fondo como la semilla para poder emerger. La información más importante que debe contener la semilla es la del amor propio, que tiene todo el potencial de manifestación y atracción para tu vida. Ábrete al placer y la alegría de vivir."

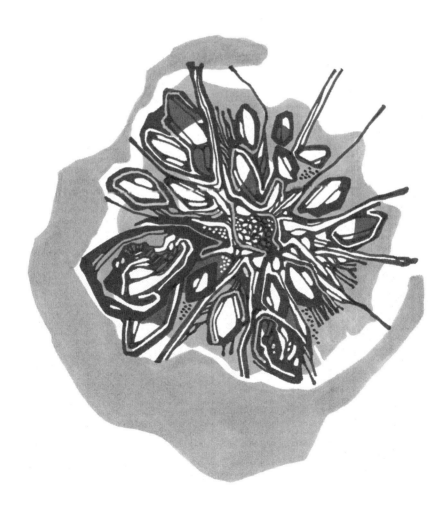

IX.

Un árbol no crece en la nada, sus raíces se anclan en un suelo determinado, brota su plántula ante unas condiciones climáticas particulares, crece su tronco ante situaciones de cambio constante, se expanden sus ramas según tenga el espacio, sus hojas oxigenan, sus flores lo embellecen y atraen polinizadores, su fruto alimenta la vida silvestre, su semilla viaja. Siempre hay una compleja interacción ocurriendo en sí mismo y con su entorno.

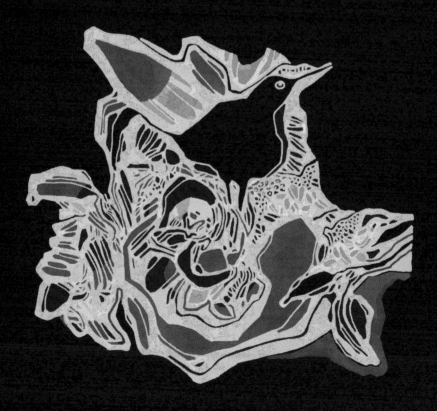

Entorno

Elena fue una niña muy sensible, algunos dirían hipersensible, «la lloroncita», le decían algunos en su entorno. Lloraba a la menor provocación y esto era motivo de mofa. Cuando la regañaban, corría por toda la casa gritando y llorando casi como si la estuvieran matando. Muchas veces esto la salvó del castigo porque su mamá entendía que, con tanto drama, ya había aprendido la lección. Las críticas eran como dagas a su autoestima, sobre todo, las de su abuela, quien no perdía oportunidad para indicarle lo mal que hacía las cosas. Aunque sintiera mucho enojo por estas, se lo callaba, se encerraba en su cuarto y, por supuesto, lloraba de frustración. Le habían enseñado que a los adultos se respeta, que nunca se les refuta y que las niñas cristianas son obedientes. No era válido alzar la voz y mucho menos atreverse a mostrarse furiosa. Debido a esto, no supo cómo defenderse con tal de no ofender a las personas. No conocía maneras sanas de ventilar la ira. Al no ser expresada, se acumuló en su cuerpo, se somatizó y reventó por su piel a través de diferentes episodios de dermatitis. Reconocer esto no fue fácil para Elena, siempre había sido una niña buena y dulce, pero esa etiqueta le estaba costando mucho.

Por su sensibilidad, además manifestaba una gran empatía y esto lo notaba porque la gente se le acercaba

230

para contarle sus problemas. La dificultad radicaba en que ella funcionaba como una esponja absorbiendo lo que la otra persona estaba sintiendo. Gran parte de su vida estuvo a merced de lo que ocurriera en su entorno y sentía con alta intensidad los estados emocionales. Lo notaba también cuando estaba en espacios aglomerados de gente, terminaba drenada, con cansancio o mucho sueño. Podía percibir las vibras de un lugar y de las personas, al igual que detectar las mentiras y falsedades.

Una de las experiencias más intensas la vivió el día que iban a operar a un familiar. Fue con su esposo al hospital a esperar con el resto de la familia y al abrir las puertas para entrar en la sala de espera, sintió una oleada de energía que la sobrecogió, le contrajo el cuerpo y le provocó un llanto inesperado. Tuvo que recostarse contra una pared a respirar y calmarse. No pudo entrar a la sala inmediatamente. Quien la vio pensaría que estaba loca y que era una dramática. Cuando logró controlar y desconectarse de lo que sentía, pudo entrar y sentarse, aunque lo hizo con mucha incomodidad. Podía sentir en carne propia toda la angustia de la gente en este y otros tantos espacios.

«¡Caray, tanta sensibilidad debía servir para algo!», pensaba Elena.

Descubrió que era una persona altamente sensible (PAS) y empática, cuyo sistema nervioso está hiperdesarrollado y, como consecuencia, recibe mucha más información sensorial de lo normal, por lo que percibe sutilezas e intensidades en el lenguaje verbal y corporal, así como extrasensorial. El sistema nervioso es el responsable de producir, controlar y guiar las acciones, pensamientos y respuestas del mundo que nos rodea; en un PAS funciona amplificado.

Sabía que cuando pasaba mucho tiempo con otras personas, su energía se diluía, le resultaba indispensable tener espacios de silencio y a solas para reconectarse con ella misma. De una manera no agradable, esta alta sensibilidad provocaba que ella fuera como una antena receptora de lo que pasa a su alrededor. Aunque por mucho tiempo le fue difícil manejarlo, descubrió que era uno de sus más grandes tesoros: a esta alta sensibilidad le debe su empatía para conectarse con las personas de manera extraordinaria. Le permite entrar en sintonía con lo que siente el otro y, aún así, mantener la capacidad de desconectarse. Tuvo que aprender a proteger su campo energético para bajar la Intensidad de lo que experimentaba.

Elena llevaba algunos meses manifestando una dermatitis severa, especialmente, en el área de las piernas. En las noches, la piel brotada le provocaba un fuerte y exasperante picor acompañado de dolor, como el que provocarían mil alfileres, junto con una extraña incomodidad que percibía a su alrededor, más allá de lo que sentía en el cuerpo. Estuvo hospitalizada dos semanas porque aparentaba ser una infección, pero, al final de cuentas, nadie le supo explicar a qué se debía y ya estaba al borde de la desesperación y la locura. Cuando los médicos no le dieron diagnóstico ni solución, buscó alternativas holísticas, incluso limpiezas energéticas, con las cuales mejoró, pero nada sustancial.

Para este tiempo había sabido de un sanador y vidente quien era canalizador de mensajes para las personas que buscaban su ayuda. ¿Quién mejor que él para ayudarla con su poder de sanación? Había leído muchos testimonios que así lo confirmaban. Ella participó de varios eventos y, en agradecimiento por haber estado de voluntaria, le concedieron participar de una actividad privada. Al final del encuentro, cada uno de los participantes tendría la oportunidad de hacerle una pregunta en privado con el propósito de recibir una respuesta canalizada. Solo se podía hacer una pregunta cuando te llegaba el turno, ella solo quería ayuda con el tema de las manifestaciones que estaban ocurriendo en su piel brotada y que, hasta el momento, nadie tenía explicación de la causa. Fue una larga espera, pero ella creía ciegamente que este hombre tendría la solución.

Finalmente, Elena estaba frente a él y le explicó de manera breve lo que estaba atravesando. Mientras ella lo miraba con la mayor esperanza de encontrar al fin una solución, el hombre le contestó: «Eso es emocional», le dio una palmadita en el hombro y llamó al siguiente en turno. Casi en estado de «shock», aún frente a él, Elena rompió en llanto desconsolador. ¿Cómo era posible que este maestro no pudiera ver más allá? Sintió que la despachó con esa simple respuesta. Se retiró del lugar sintiéndose impotente y desolada. Cuando logró calmarse y salir de su marasmo, entendió que no le tocaba a ese maestro ni a nadie darle la respuesta. Ella tenía que encontrarla. Ya había trabajado en profundidad el componente emocional de su dermatitis y necesitaba ayuda para lo que no había podido descifrar. Lo que se estaba manifestando era diferente, lo podía intuir.

Semanas más tarde, mientras esperaba a que le arreglaran su auto, en el televisor de la sala de espera estaban entrevistando a un hombre sobre el tema de los espíritus perdidos y entidades. En pocos minutos, el experto explicó cómo la presencia de estas energías podía afectar a las personas, dio varios ejemplos y mencionó un libro de referencia, *Remarkable Healings* de Shakuntala Modi, M.D. Elena lo buscó inmediatamente en internet. Con gran sorpresa y alivio, leyó la descripción del libro: «Muchas personas padecen dolencias que no tienen una causa aparente ni una cura evidente. Sus pacientes, bajo hipnosis, afirmaron tener espíritus adheridos a sus cuerpos y campos de energía, creando problemas psicológicos y físicos. La autora, la Dra. Modi, presenta evidencia de que algo más allá de lo físico afecta la salud de muchas personas e insta a los científicos médicos a evaluar objetivamente este enfoque revolucionario de las enfermedades mentales y, a menudo, físicas. Desafía la lógica imperante en esta época y afirma que los pioneros son los que tienen el coraje de dejar de lado el "statu quo" y evaluar lo que muestra la evidencia».

Sabía que esto tenía que ver con lo que le estaba ocurriendo a ella. Encargó el libro y esperó pacientemente a que llegara. Completó su lectura en menos de un día, y obtuvo las respuestas que tanto había buscado. Varias personas a quienes había pedido ayuda, le insistían que era emocional o mental, lo cual le había generado mucha frustración e impotencia. Una vez tuvo a la mano esta información, no le fue fácil encontrar quién la ayudara. Es un tema que se considera escabroso al que muchos le temen. Sin embargo, Elena ya sabía que la ayuda idónea iba a llegar. A través de una amiga había conocido a Jazmín, una mujer vidente y con capacidad de conectar con el mundo espiritual. Tenía el don y la habilidad de ver y comunicarse, específicamente, con el mundo espiritual. Ella ya la había apoyado a trabajar otros temas personales y de salud. Esta vez tuvo un poco de resistencia para trabajar con este tipo de manifestaciones de baja vibración energética, pero aceptó ayudarla. Elena estaba desesperada y ya no sabía a quién más recurrir. Había consultado en otro momento a una chica que también era vidente, pero su ayuda, lamentablemente, no resolvió la situación, la ayudó hasta cierto punto, pero luego llegaron a un callejón sin salida y ya no sabía como más ayudarla.

Jazmín trabajaba conectándose con el síntoma físico y la emoción asociada; desde ahí buscaba identificar la causa a nivel energético. Mientras fue guiando a Elena en su proceso, apareció un espíritu en oscuridad. La primera reacción de Jazmín fue detener el proceso, instante en que Elena sintió que, si eso pasaba, ya nadie más podría ayudarla, así que clamó por la asistencia divina. Así fue, una vez Jazmín sintió que tenía la ayuda y protección, tuvo la confianza de seguir avanzando. El espíritu le comunicó a Jazmín que tenía el firme propósito de atormentar a Elena debido a una deuda de vida pasada, estaba ciego de resentimientos por algo que había ocurrido entre ellos, que Elena le había hecho y quería desquitarse. Elena cargaba de manera inconsciente la vibración de la ira y esto dio apertura a que se manifestara en su cuerpo el enojo de este espíritu; tuvo lugar debido a la resonancia entre las energías de Elena y del espíritu.

En la sombra de Elena estaba oculto la rabia que no tenía permiso de mostrar y que había reprimido.

Jazmín la ayudó a comunicarse con el espíritu y juntas hicieron un proceso muy bonito de perdón y sanación entre las partes, con la promesa de que nunca más se harían daño. Jazmín pudo ver cómo el espíritu, que había estado sumido en una gran oscuridad, se fue tornando en luz, su verdadera esencia. Al final, le dio las gracias a Jazmín por ayudarle a liberarse. Estos espíritus o entidades en oscuridad han olvidado que también son luz, el proceso con Jazmín le ayudó a que se librara del dolor y resentimiento que cargada y lo oscurecía, y dio paso a reconectar con la chispa divina que habitaba en él y que habita en todos.

Esto fue lo más significativo que ayudó a Elena a liberarse de la dermatitis que la aquejaba, junto con el otro aspecto que ya había trabajado para descifrar la emoción asociada a la manifestación del síntoma, la ira ancestral y familiar que había cargado. Una vez resuelto el tema, comenzó a sentirse libre en la expresión de su coraje. Al principio, la gente a su alrededor se sorprendía: «Ay, Elena, ¿por qué me respondes así?», «Yo creía que tú eras supercalmada», entre otros comentarios. Poco a poco, se fue dando el permiso de sentir el enojo, procesarlo y expresarlo asertivamente y sin miedo, sin que fuera nocivo para ella ni para los otros. Supo que se había graduado con honores en este tema cuando en medio de una reunión de trabajo, uno de sus compañeros le alzó la voz y le cuestionó sobre su desempeño como si la estuviera regañando: «¡Están atrasados con el proyecto! ¿Qué ha pasado?, ¿cuándo lo terminan?... (y bla, bla, bla)». Era una pregunta tras otra, sin pausa.

Ella alzó su mano en señal de pare y le dijo en tono relajado, pero firme: «Te calmas y no me hables así. Si me lo permites, te puedo dar las respuestas».

Hubo un silencio sepulcral en el salón de reuniones donde había alrededor de veinticinco personas, luego del pasme colectivo, su supervisor interrumpió para tomar control de la situación.

Al finalizar la reunión, uno de sus compañeros le dijo: «Dime qué es eso nuevo que estás haciendo, que yo lo necesito».

Elena había respondido desde un lugar de total empoderamiento, y recibió felicitaciones de sus pares por haber sostenido su postura y defenderse asertivamente. A consecuencia, el jefe de la oficina le requirió a su compañero que le pidiera disculpas, no lo hizo públicamente, lo hizo en privado y de manera casi secreta, pero para ella fue más que suficiente saber que su jefe la apoyaba. En otro momento de su vida, ella no se hubiera atrevido a hacerse escuchar de esta manera.

La ira es la emoción menos permitida a la mujer. Si muestras tu enojo, eres una loca o una histérica. Sin embargo, es la emoción que te da la alerta que necesitas para poner límites porque te estás sintiendo transgredida de alguna manera. La incapacidad de Elena de poder expresarla hizo que la albergara en algún rincón olvidado de su cuerpo; estaba silente, pero brotando a través de su piel. Estaba aún más escondida porque era un dolor y una ira ancestral de las mujeres de su linaje y del inconsciente colectivo de la mujer a través de la historia.

La abuela materna de Elena tuvo una vida dura y difícil,

cargaba mucho dolor en su ser y muchas deudas de amor. Demostraba su amor con cuidados, pero no con afecto. Su madre y padre murieron con un día de diferencia cuando era apenas una adolescente. Al quedar huérfanos, separaron a los hermanos para que quedaran al cuidado de distintos familiares. Hasta ese momento en su adolescencia, había vivido en abundancia. Bajo este cuido en casa ajena, pasó hambre y careció de necesidades básicas.

Se casó joven, pero enviudó antes de cumplir los cuatro años de casada, con una bebé de dos años y medio, la madre de Elena. Nunca se volvió a casar ni siquiera a tener pareja. Era una mujer intensa, aventurera, independiente, en fin, era un espíritu libre al que le cortaron las alas porque vivió aprisionada en una vida que no eligió. Volcó toda su vida hacia el cuidado de su hija y luego, hacia los nietos. Había vivido de manera independiente hasta que se mudó temporalmente a casa de Elena para ayudarlos con la crisis que trajo el divorcio, pero, al verse afectada su salud luego de una condición cardiaca, se quedó a vivir de manera permanente.

La madre de Elena tampoco se volvió a casar. Ambas decidieron que era mejor estar solas, al principio para proteger a su cría y, de manera no consciente, para evitar un nuevo abandono. Aprendieron a ser independientes y fuertes hacia el exterior. Elena aprendió lo mismo, vivió con la polaridad irreconciliable de querer vivir en pareja, pero creyendo que era mejor estar sola como su mamá y su abuela. **Tan fuerte era ese lazo que la unía en la repetición de patrones y de cargar fidelidades ciegas al sistema, que atrajo hombres ausentes para mantenerse leal a ellas:**

«Mamá, abuela, soy como ustedes».

Le tocó liberarlo para ella y para todas:

«Mamá, abuela, lo hago diferente a ustedes, elijo otro camino».

Elena decidió ser la que elige hacerlo diferente, se dio cuenta de que tenía que escoger su propio camino. Inicialmente, se sintió como una traición a la consciencia familiar, sin embargo, fue un acto de liberación no solo para ella, sino para **todo** el linaje femenino, en ascendencia y en descendencia. Lograr lo que sus bisabuelas, abuelas o madre no lograron –porque no pudieron, no se lo permitieron o no supieron cómo– es un acto de amor y honra para todas ellas. Y, además, es un ejemplo para las mujeres que le rodean porque les permite reconocer que ellas también lo pueden hacer diferente y así elevar el nivel de consciencia para todas.

Elena había estudiado Arquitectura, pero no sabía cómo ser la arquitecta de su vida. Su proceso de sanación no fue lineal, no se limitó a una sola herramienta, cada tema necesitó su propia mirada. Logró la comprensión de que su alma escogió a su mamá y su papá en esta vida, así como los aprendizajes que vendría vivir. Aprendió a no echar culpas ni reclamos, sino a asumir la responsabilidad de lo que vivía a cada momento porque ella es la creadora de su experiencia. Abrazó sentirse acompañada en su solitud, a habitar su propio vacío haciendo las paces con sentirlo porque sabe que es el aviso de que necesita regresar a ella. Aprendió que no son negociables sus espacios de silencio, proteger su energía o establecer límites sanos cuando hagan falta. Aprendió que es más importante observar las palabras y escuchar las acciones de las personas, a tomarse el tiempo para conocer si las acciones van a la par con lo que dice la persona. Aprendió que es posible vivir en coherencia con lo que se piensa, se expresa, se siente y se hace. Aprendió a lograr la independencia emocional para encargarse de llenar sus propias necesidades emocionales y a mantenerse armonizada, independientemente de la energía de otros o del entorno, en sostener la suya desde su propio centro. Aprendió a Ser la Arquitecta de su Vida.

A reconocer con total certeza en su corazón:

«El amor de mi vida soy yo». –Elena

Aprendió a no echar culpas ni reclamos, sino a asumir la responsabilidad de lo que vivía a cada momento porque ella es la creadora de su experiencia.

Abrazó sentirse acompañada en su solitud, a habitar su propio vacío haciendo las paces con sentirlo porque sabe que es el aviso de que necesita regresar a ella.

Aprendió que no son negociables sus espacios de silencio, proteger su energía o establecer límites sanos cuando hagan falta.

Aprendió que es más importante observar las palabras y escuchar las acciones de las personas, a tomarse el tiempo para conocer si las acciones van a la par con lo que dice la persona.

Aprendió que es posible vivir en coherencia con lo que se piensa, se expresa, se siente y se hace.

Aprendió a lograr la independencia emocional para encargarse de llenar sus propias necesidades emocionales y a mantenerse armonizada, independientemente de la energía de otros o del entorno, en sostener la suya desde su propio centro.

**Aprendió a
Ser la Arquitecta de su Vida.**

Rodearte de armonía y belleza

Nuestro cuerpo energético interacciona con el entorno, con la energía de los espacios y de otras personas. ¿Puedes reconocer estos cambios en tu cuerpo? Es importante que reconozcas si tu entorno te nutre, te apoya o si, por el contrario, te drena. También debes determinar cuáles vínculos quieres sostener porque te nutren y cuáles te drenan y es tiempo de reconsiderar. Todo en la vida tiene tiempos y temporadas, las personas y las cosas llegan a tu vida con un propósito y cuando este se cumple, les toca salir de tu vida. No te aferres.

Más importante aún, reflexiona sobre la energía que tú aportas al entorno. Está bien cuidarnos, pero es importante no pasar por alto que nuestra energía también afecta a los demás de manera positiva o negativa. Autobsérvate, ¿en qué momentos te conviertes en una carga para los otros? Nota si te la pasas quejando, criticando, contando una y otra vez tus dramas personales. Eso es lo que estás compartiendo de ti. No te digo que lleves una máscara y aparentes que todo va bien, la energía no miente y como quiera se va a percibir. A lo mejor llevas una tormenta interna, de ser así, busca manejarla con recursos propios si los tienes o con ayuda externa, pero no andes echándole la responsabilidad a otros de lo que no puedes manejar en tu interior. Aprende a gestionar tus estados emocionales que son los que se manifiestan en tu exterior. Sé auténtica desde un lugar de empoderamiento donde procures el mayor bienestar para ti y para todas las partes involucradas.

Si eres una persona altamente sensible (PAS) o empática,

entonces es mucho más desafiante establecer estos límites, ya que eres como una esponja que absorbe la energía del entorno, y se confunde lo que es verdaderamente tuyo y lo que es de los otros. Es esencial tener tiempo a solas para silenciar la mente y autorregular tu sistema nervioso para que regreses a ti. Seas de alta sensibilidad o no, establecer rituales de limpieza de tu energía de manera regular es indispensable para descartar las energías que has acumulado de tu entorno y de otras personas. Ir al mar y bañarse en el agua salada es la mejor limpieza energética que puedes recibir, conectar con la naturaleza en silencio, escuchar música que eleve tu espíritu y danzar al ritmo de la música que más te guste y te haga palpitar de alegría: todo esto sube la vibración de tu cuerpo energético.

Reto: **Reflexiona sobre tu entorno**

¿Con qué tipo de personas compartes tu tiempo y atención?, ¿están alineadas con tus intereses?, ¿pueden conversar sobre temas que te apasionan sin juicio?, ¿participas de actividades que te nutren, en las que puedes ser tú misma y te permiten crecer?

Recuerda, hay tiempos y temporadas; no sientas culpa si entiendes que tienes que moverte de espacio y de personas, incluso pareja, amistades o familiares. Agradece el tiempo compartido, honra el aprendizaje que trajeron a tu vida y déjalos ir.

Encuentra tu tribu, la gente que te nutre y que está alineada con tu esencia, con tus objetivos y metas; que elevan tu espíritu y se alegran de las cosas buenas que te ocurren, los que no, bendícelos y deséales buen camino.

Test:

Con total honestidad, asígnale un número a las siguientes aseveraciones según esta escala:

1 = Nunca / Totalmente en desacuerdo

2 = No a menudo / En desacuerdo

3 = A veces / Quizás

4 = A menudo / De acuerdo

5 = Siempre / Totalmente de acuerdo

■ Mi espacio está organizado y limpio, me siento a gusto.

1   2   3   4   5

■ Estoy rodeada de belleza.

1   2   3   4   5

■ Me encanta tener plantas en mi hogar.

1   2   3   4   5

■ Mis espacios me apoyan en mi trabajo y mi descanso.

1   2   3   4   5

Tus Espacios

■ Hago limpiezas y resaques en mi hogar regularmente.

1 2 3 4 5

■ Tengo lo que necesito y no acumulo.

1 2 3 4 5

■ Me gusta donde vivo.

1 2 3 4 5

■ Aporto buena vibra a mi entorno.

1 2 3 4 5

■ Reconozco los entornos/espacios que me vitalizan y los que me drenan.

1 2 3 4 5

Suma la puntuación de cada una de las aseveraciones.

Total:

Espacios

¿Qué dicen de ti los espacios que habitas? Cuando entras a tu hogar, ¿sientes ganas de dar la vuelta para irte o percibes una sensación de paz y contentamiento? Los espacios se quedan impregnados con la energía de las personas o actividades. Esta energía es una memoria que se queda grabada en cada espacio. Por esto, cuando entras a un lugar, tu cuerpo percibe esta carga energética, sea positiva o negativa. Es importante aprender a reconocerlo en el cuerpo que es el que capta y emite las vibraciones energéticas.

Limpiar, descartar y organizar tu espacio tiene un poder increíble en tu bienestar emocional y mental. En una ocasión, escuché a una persona explicar un ejercicio para determinar si los objetos que hay en tu hogar les corresponde estar donde están o si toca moverlos o sacarlos. El ejercicio consistía en entrar por la puerta de entrada y caminar frente a cada objeto en tu casa. Con los ojos cerrados percibir la energía de cada objeto y del espacio que ocupa. Hice el ejercicio y cuando me paré frente al televisor de la sala, sentí tan claro en mi cuerpo que el aparato ya no debía estar ahí.

Ese televisor llevaba algunos años sin funcionar. La última vez que había tratado de encenderlo, el botón se había hundido. Ya me había acostumbrado a tener ese objeto en mi sala, sin uso, sin servir y ocupando un espacio importante. Como no veía televisión, no le había prestado atención. Tuve la certeza de que tenía que sacarlo, había sido mi descuido no hacerlo antes. No podía sola porque era de los televisores viejos «cabezones», muy anchos y pesados y tenía que bajarlo cuatro pisos por la escalera. La ayuda apareció y se sacó. Dejé el espacio vacío por un tiempo hasta que sentí cuál era la manera adecuada de ocuparlo nuevamente. Incluso no fue hasta un par de años más tarde que sentí el deseo de comprar otro televisor, no porque se suponía que tuviera un televisor en mi casa, sino porque así lo sentía. Desde ese día soy más consciente de mis espacios, procuro hacer resaques frecuentes y sintonizo con lo que mi espacio necesita para apoyarme en mi estilo de vida y metas. He vivido el poder que hay cuando decides mejorar tu espacio, cuando mueves, reorganizas y descartas. Cuando haces espacio, creas oportunidad para que llegue lo nuevo, real o simbólico.

A medida que limpiamos nuestra casa física, también colocamos orden a nuestra mente y emociones. Lo que te rodea habla de ti. Cada objeto que escoges o decides guardar tiene información y energía que te apoya o te entorpece. Considera si te aporta tranquilidad y comodidad. Si lo haces tomando en cuenta la belleza que además aporta, mucho mejor. Belleza no implica lujo, implica la sublimación de los espacios que habitas. Procurar que lo que te rodea no sea solo útil, sino también bello, para que te aporte alegría y buena vibra.

> **Cada objeto que escoges o decides guardar tiene información y energía que te apoya o te entorpece.**

Si hay algo roto o dañado, arréglalo o descártalo inmediatamente. De no ser así, en un abrir y cerrar de ojos

250

y sin saber cómo, vas a estar rodeada de objetos inútiles que terminan drenando la energía de tus espacios y, por lo tanto, la tuya. Como lo que te conté del televisor en mi sala que llevaba años sin funcionar, me había acostumbrado a no verlo, como si no existiera, pero era una energía estancada que afectaba mi espacio. Ahora vivo en sintonía con mis espacios. Una de mis maestras espirituales lo llama el espíritu del hogar, y así lo siento. Sé cuando me toca atender algún área en particular de la casa porque aparece en mí una sensación de urgencia en atenderla. Y puedo ver cómo siempre tiene sentido o una razón para que así sea.

Hay que saber reconocer cuándo el proceso no se puede hacer sola porque se tienen apegos a los objetos. En esos momentos, se debe considerar la ayuda experta de un organizador profesional. Hay toda una serie de asociaciones emocionales o mentales con los objetos que tenemos, que no hay manera de que por cuenta propia logremos descartarlos, o que nos sintamos impotentes ante todo el trabajo que conlleva. A través de los años, me he inspirado de diferentes filosofías como el Feng Shui, que me enseñó cómo concebir los espacios para procurar el flujo adecuado de la energía; asimismo, del concepto del minimalismo, el cual establece vivir de manera simplificada y con solo lo que realmente necesitas; y algunas otras prácticas que se han hecho populares en los últimos años. Todas me gustan y se aprende algo valioso de cada una.

La sociedad en la que vivimos ha puesto un gran énfasis en el consumo y en tener cosas. Recuerdo que mis abuelos le veían utilidad a todo. Aunque estuviera roto se guardaba porque «algún día podría servir para algo». Lo que se tenía, se había conseguido con mucho esfuerzo y, por esto, se apreciaba y cuidaba. En la actualidad, vivimos una época que todo es desechable y de un solo uso. Esto está ocasionando estragos en nuestro medioambiente. ¿Cómo te relacionas con el entorno mayor que es la Madre Tierra, nuestra casa, la de todos?, ¿tienes consciencia de recoger la basura que generas?, ¿estás reciclando?, ¿estás limitando el uso de plásticos en tu diario vivir y tu huella de carbono?

Esto es tema para una reflexión mucho más larga, pero te dejo la invitación a que explores el tema al igual que todos los que expongo a través del libro.

«Al mirar tu hogar, tu santuario y ver que las cosas que te rodean solucionan, funcionan, embellecen y traen bonitos recuerdos, es cuando puedes sentirte que estás en control y estás disfrutando de tu vida desde una perspectiva de significado y simplicidad, de manera holística».

— Indira Molina, autora y organizadora profesional de espacios

Oportunidad: **Organiza tus espacios**

Evalúa las condiciones de los espacios que habitas, desde tu hogar hasta la oficina, para que procures que tus espacios te apoyen en todas las otras áreas de tu vida. Nota qué cambios necesitas efectuar, ¿por cuál espacio podrías comenzar?

Recorre tu casa, observa cada objeto y cada espacio, nota qué te hace sentir, los recuerdos asociados a estos, si se siente agradable o no tienes idea por qué ese objeto sigue en tu casa. ¿Qué podrías descartar, mover, mejorar, arreglar?, ¿te gustan los colores que te rodean?, ¿cómo están organizadas las cosas a tu alrededor?, ¿qué has acumulado por apego y se ha vuelto un estorbo?

Tu casa externa debe reflejar tu casa interna y viceversa. En la medida que simplifiques y te sientas a gusto con los espacios que habitas, en resonancia, vas a sentir un cambio en tu interior: «como es adentro es afuera y como es afuera es adentro». Establece un plan de acción y prioridades a atender.

Estoy agradecida, en humildad y conectada. Todo lo que me rodea me agrada y me apoya.

Mensaje del Árbol Sabio:

"El árbol se adapta a su entorno o perece, está al servicio de su entorno y de la vida. Tú tienes la opción de adaptarte o de moverte a un entorno que sea propicio para tu crecimiento y expansión, a la vez que puedes estar al servicio de los que te rodean. Vive en servicio a la vida misma con amor."

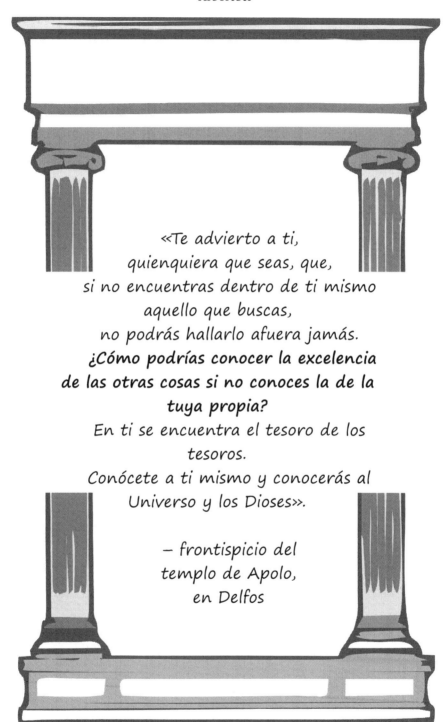

«Te advierto a ti,
quienquiera que seas, que,
si no encuentras dentro de ti mismo
aquello que buscas,
no podrás hallarlo afuera jamás.
**¿Cómo podrías conocer la excelencia
de las otras cosas si no conoces la de la
tuya propia?**
En ti se encuentra el tesoro de los
tesoros.
Conócete a ti mismo y conocerás al
Universo y los Dioses».

— frontispicio del
templo de Apolo,
en Delfos

Ser la Arquitecta de tu Vida

Eres **arquitecta de tu vida** cuando te encaminas hacia la coherencia entre lo que piensas, lo que expresas, lo que sientes y lo que haces. Esto no ocurre por arte de magia, viene de un proceso de toma de consciencia en el cual es necesario que dejes de perpetuar las creencias limitantes y observes tus pensamientos para cambiarlos. Es necesario que tus palabras expresen ese cambio para que, como consecuencia, tus acciones sean diferentes de lo que vienes haciendo y en el proceso reconozcas cómo esto te hace sentir diferente, en otra vibración que comienza a atraer y manifestar nuevos resultados y experiencias a tu vida.

Como facilitadora holística de procesos de sanación trabajo con el paisaje emocional de mis clientes. Voy levantando las capas de información que cargan, las miro de manera individual y también dónde se tocan e inciden entre sí, para, entonces, poder descubrir la información inconsciente que mi cliente no puede ver, y así poder establecer las oportunidades que este proceso puede aportar para crear una vida sana y plena. Con este descubrimiento y desde un lugar de consciencia y empoderamiento, se hace posible el que pueda diseñar la vida que elige vivir.

Este proceso me ha llevado a comprender tres cosas fundamentales:

1.   Las capas de dolor, carencia y programaciones que cargamos son muchas. Para trabajarlas, hay que pelarlas como las capas de una cebolla, una a una, poco a poco.

2.   Sanar requiere valor, es un acto de coraje y valentía meterse en las profundidades de las heridas. Es un umbral que hay que cruzar para sanar y liberarse.

3.   Cada cuál es responsable por su propia sanación, nadie va a llegar a salvarte: te toca a ti hacerlo.

Puedes comenzar dándote cuenta de todos los simbolismos y mensajes que hay en las cosas que te suceden y en las experiencias del día a día. Como observadora de tu propia vida, comienza por dejar el rol de víctima de tus circunstancias y asumir la responsabilidad de cada situación que se manifieste frente a ti. Eres la cocreadora de tu realidad, sea desde la inconsciencia o porque aprendiste a hacerte cargo desde tu empoderamiento como agente de cambio para tu propia vida.

Capítulo por capítulo, te presenté distintos retos y oportunidades en cada área y al comienzo de la lectura, te invité a que usaras una libreta o el cuaderno de apoyo descargable para ir anotando tus reflexiones. Para profundizar en tu proceso de autoconocimiento, te invito a que describas tu mayor reto en cada uno de los nueve capítulos, incluye lo que has identificado como creencias, patrones, programaciones, miedos, lealtades, bloqueos que has tenido. **¿Qué es lo peor que podría pasarte en esta área de tu vida?** Quizás te suena terrible o pesada esta pregunta, pero es importante que te des cuenta de lo que podría pasar en tu vida si no tomas acción y atiendes las limitaciones que has identificado. Desde esta consciencia, te puedes preguntar, **¿qué es lo mejor que podría pasar?**

Si has identificado retos –que necesitan atención– y áreas de oportunidad, te invito a tomar acción. La comprensión en el plano mental te ayudará a enfocar tu atención e intención. Donde va el pensamiento va la energía, desde ahí puedes adentrarte en el cuerpo físico y la memoria que guarda, en la emoción que quedó atrapada, en la energía que se ha quedado estancada y en el aprendizaje que cada experiencia tiene para tu vida.

Luego busca las puntuaciones que obtuviste en cada uno de los tests y anótalos en esta tabla:

Área de Vida	Totales
E1 - Salud y bienestar	
E2 - Dinero y finanzas	
E3 - Carrera o negocio	
E4 - Relaciones	
E5 - Liderazgo	
E6 - Crecimiento personal	
E7 - Espiritualidad	
E8 - Placer y sexualidad	
E9 - Espacios	

Observa todos los totales y nota cuales áreas obtuvieron menor puntuación. Esas son las que probablemente necesitan mayor atención.

He notado cómo muchas personas de repente se enfocan solamente en un área de su vida; ya sea en mantener su cuidado físico o en generar dinero o en tener pareja. Es como si la vida dependiera solo de esa área y, al aislar las demás, se desequilibran y se pierden grandes oportunidades en las otras. Quizás les va muy bien en sus carreras profesionales, pero descuidan por completo su espiritualidad o les dan todo el énfasis a sus relaciones interpersonales y se olvidan de su crecimiento personal. Una palabra clave o guía que he tenido en mi vida es BALANCE. Significa que de alguna manera todas esas áreas de la vida están atendidas, no necesariamente en igual medida, pero sí en lo que cada una requiere para sentir una vida equilibrada. Las nueve áreas de empoderamiento que te he presentado en el libro vienen de esa comprensión.

¿Sabes de verdad qué es lo quieres en la vida?

Podrías tener muy claro lo que no quieres, pero no hay claridad en lo que sí deseas. Quizás porque nunca te lo has planteado como una posibilidad. Pero aquí no se trata de lo que es posible, sino de lo que eliges para tu vida. El proceso es **EXAMINAR** dónde estás en tu vida en estos momentos, para poder **IMAGINAR** dónde deseas estar y así **DISEÑAR** lo que anhelas, **PLANIFICAR** cómo llegar ahí al haber entendido lo que te impide lograrlo para, finalmente, **CREAR** desde un lugar consciente con propósito. Es necesario reconocer lo que hay en tu vida y luego, tomar las decisiones acertadas hacia el logro del resultado que deseas.

El primer paso es establecer dónde estás en cada área (E1 - E9) en estos momentos de tu vida, de manera objetiva y sin juicios. Para saber adónde te diriges, antes debes mirar de dónde vienes. Define dónde quieres estar y cómo deseas sentirte en cada una de estas áreas. Te invito a que lo pienses en términos de experiencias y sensaciones.

**Para saber adónde te diriges,
antes debes mirar de dónde vienes.**

Contesta las siguientes preguntas en cada una de las nueve áreas:

1. ¿Dónde siento que estoy en esta área en estos momentos de mi vida?

2. ¿Cuánto tiempo llevo en ese lugar y bajo qué circunstancias?

3. ¿Dónde deseo estar? Defínelo sin restricciones ni limitaciones, sino desde la certeza de que tienes la capacidad de elegir lo que anhelas para ti.

Como arquitecta de tu vida, primero necesitas hacer bocetos de eso que estás imaginando y visualizando para ti. Es un primer plano de creación pasarlo de la esfera mental a la esfera física. La herramienta que utilizo es la de un plano visionario que es una representación pictórica de cómo te quieres sentir y qué necesitas hacer para manifestarlo. Transfiere eso que deseas a una visión a través de imágenes, fotos, que capturen lo que visualizas para crear tu **diseño de vida**. Cada imagen es una elección que estás haciendo.

Esta herramienta funciona de dos maneras. La primera

es que le permite a tu cerebro reconocer aquello que desea, por lo tanto, va a procurar crearlo. Hay cosas que las creemos imposibles o muy lejanas, pero, al exponernos constantemente a las imágenes del **plano visionario** estamos creando nuevas conexiones neuronales.

La segunda es que, en el momento que algún percance surja en tu vida y sientas que pierdes el rumbo, tu plano se convierte en tu referente, tu recordatorio de lo que decidiste previamente y te ayuda a retomar el diseño de tu vida. La propuesta que te hago está inspirada en el Bagua del Feng Shui. Ten en mente que estás activando energéticamente cada área de tu vida.

E2 Tu Dinero y Finanzas	E5 Tu Liderazgo	E4 Tus Relaciones
E1 Tu Salud y Bienestar	E9 Tus Espacios	E8 Tu Placer y Sexualidad
E6 Tu Crecimiento Personal	E3 Tu Carrera o Negocio	E7 Tu Espiritualidad

Utiliza este plano visionario como guía para hacer tu diseño de vida:

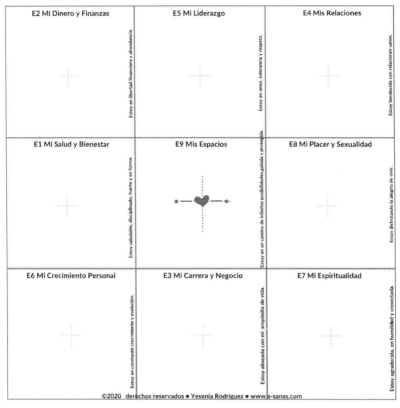

Pasos para crearlo:

1. El tablero lo puedes crear en papel o digital. Te proveo el enlace para que descargues el archivo:

www.a-sanas.com/planovisionario

2. A base de lo que ya has identificado en cada área, busca imágenes que representen eso que deseas.

3. En el centro, donde está el corazón, vas a colocar una foto tuya que te guste mucho.

4. En el centro de cada área vas a colocar una imagen que represente el objetivo principal y, alrededor de esta, vas colocando las demás imágenes según lo que definiste

en los ejercicios previos.

5. Cuando lo completes, lo vas a imprimir y a colocar en un lugar donde puedas verlo regularmente. Idealmente, ponlo en varios lugares: tu agenda, tu habitación, en la pantalla de tu celular o computadora.

Un plan sin acción no te va a dar resultados. Una vez que pasas por el proceso de reflexión es necesario moverse para lograrlo. Es momento de identificar los recursos y herramientas que vas a necesitar para cumplir con tu diseño de vida. Seguro que ya has podido identificar las circunstancias que te han paralizado o bloqueado para llegar. Ahora es que comienza el verdadero trabajo, trabajar con la información inconsciente, sanar e integrar.

¿Estás lista para ArboreSer como la Arquitecta de tu Vida?

Si hubo algún tema en particular que llamó tu atención y quieres conocer más, te invito a revisar las lecturas recomendadas en la bibliografía al final del libro para que profundices en el aprendizaje.

Si estás lista para moverte de un lugar de insatisfacción a un espacio en que puedas ArboreSer como la arquitecta de tu vida, será un placer **acompañarte** en este proceso y poner a tu disposición **todas las capacidades que tengo** en mi caja de instrumentos de diseño como facilitadora holística de procesos de sanación, como arquitecta y arquitecta paisajista.

Te invito a visitar mi página web para que conozcas sobre el programa guiado y otras oportunidades de continuar el trabajo que iniciaste con este libro: **www.a-sanas.com**

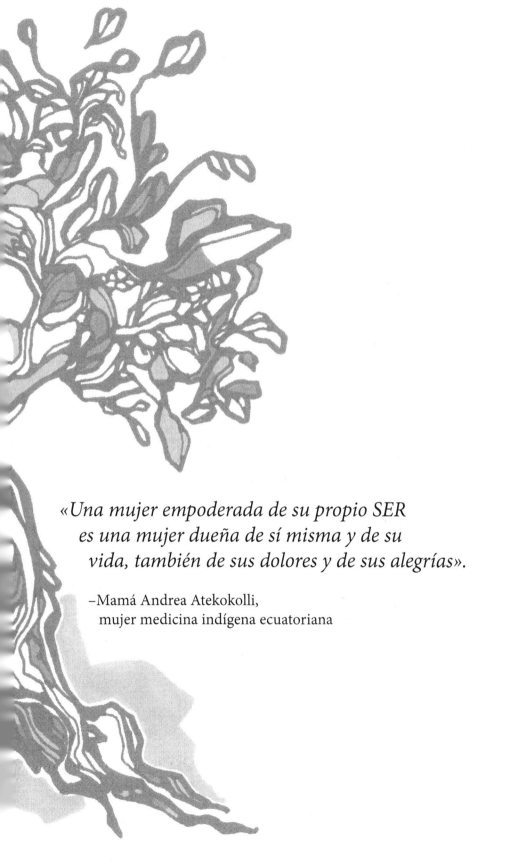

«*Una mujer empoderada de su propio SER
es una mujer dueña de sí misma y de su
vida, también de sus dolores y de sus alegrías*».

–Mamá Andrea Atekokolli,
  mujer medicina indígena ecuatoriana

Yesenia Rodríguez González es arquitecta y terapeuta holística, tanto por vocación como por pasión, por lo cual ha logrado integrar con maestría y creatividad ambos conceptos en a-sanas.

Obtuvo sus grados de maestrías en Arquitectura (2001), en la Universidad de Puerto Rico, y en Arquitectura del Paisaje (2011), en la Universidad Politécnica de Puerto Rico. Cuenta con dieciocho años de experiencia que incluyen planificación, fases de diseño, consultoría, gerencia de proyectos, supervisión, coordinación educativa y docencia.

Es reconocida como experta oradora a través de la organización Toastmasters International con la designación

Conoce a la autora

Distinguished Toastmasters (DTM) bajo el programa Legacy, reconocimiento que representa el más alto nivel de logros educativos y de liderazgo en la organización.

En su práctica como terapeuta holística, cuenta con más de diez años de experiencia facilitando procesos de autoconocimiento y transformación con diversas terapias y herramientas. Creó a-sanas, en el 2015, con el fin de combinar técnicas y prácticas destinadas a la sanación del ser en cuerpo, energía, mente y alma. Está certificada en Constelaciones Familiares y Sistémicas (2008), como maestra de Yoga en el Samadhi Method de Samadhi Yoga and Ayurveda Institute (2015) acreditado por Yoga Alliance (RYI 200hrs), y en la Yoga de los 12 Pasos (Y12SR) como Leadership Certification/Space Holder (2015), y acompañante en Bioneuroemoción® del Instituto Enric Corbera (2019). Además, es Reiki máster (2017), consultora en Aromaterapia (2010), Ho'oponopono Practitioner (2020), instructora de Chakradance (2018) y Sexualidad Femenina (2021), entre otras.

Los aceites esenciales los integra en su práctica como una herramienta de facilitación de los procesos de liberación emocional, balance energético y bienestar físico. Está adiestrada en las prácticas de aplicación de aceites esenciales Raindrop Technique® y Spiritual Raindrop®.

Ofrece charlas y talleres enfocados a procesos de sanación, transformación y empoderamiento. Su enfoque de trabajo es sistémico y transgeneracional dirigido a descubrir las raíces de las situaciones personales y sus implicaciones en el entorno, *de la raíz a la semilla y el entorno que le rodea.*

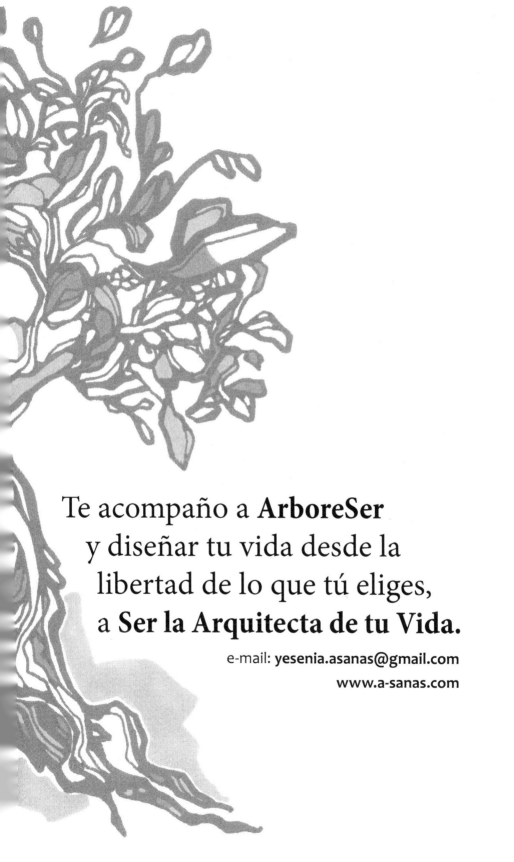

Te acompaño a **ArboreSer**
y diseñar tu vida desde la
libertad de lo que tú eliges,
a **Ser la Arquitecta de tu Vida.**

e-mail: **yesenia.asanas@gmail.com**

www.a-sanas.com

Testimonio

«Antes de comenzar a trabajar con Yesenia, no me sentía en paz conmigo, no estaba enfocada en mí, sino todo era para el otro. No sabía cómo decir que no y, cuando lo hacía, sentía culpa. Buscaba el reconocimiento afuera y que me dieran mi lugar.

Al trabajar estos temas con Yesenia, me he hecho consciente de que no necesito buscar la aprobación afuera. He aprendido a mirarme, a identificar lo que me sucede y entenderlo. Veo cosas que antes no veía y, lo más importante, es darme cuenta de que no tiene que ver con el otro, sino conmigo. He logrado confianza en mí. Me siento en paz y segura. Antes me miraba a mí misma como si estuviera dañada, ya sé que soy perfecta tal y como soy.

He logrado encontrarme conmigo, sanar mis heridas, sentirme realizada, con la certeza de que lo tengo todo en mí.

N. López,
Asesora financiera

¡Gracias por completar la lectura de ArboreSer™!

Me encantaría conocer tu experiencia, te
invito a que me regales una reseña
del libro y yo te voy a regalar un póster
descargable que encontrarás en la siguiente
página del:

Manifiesto para
Ser la Arquitecta de tu Vida

Escríbeme a:
yesenia.asanas@gmail.com

Manifiesto para Ser la Arquitecta de tu Vida

1. Descubro las raíces de mis heridas y trabajo para trascenderlas. Cuido mi **salud y bienestar**.

2. Aprendo el buen manejo de mi dinero y conecto con la **abundancia** de lo que puede brotar en mi vida. Gestiono mi mundo emocional y atiendo a mi niña interior.

3. Conozco mis necesidades y las atiendo. Tengo límites saludables y claros. Mantengo encendido el fuego de mi **pasión** hacia mis metas.

4. Me amo, me cuido y estoy abierta al **amor** en reciprocidad. Logro escuchar a mi corazón y su guía.

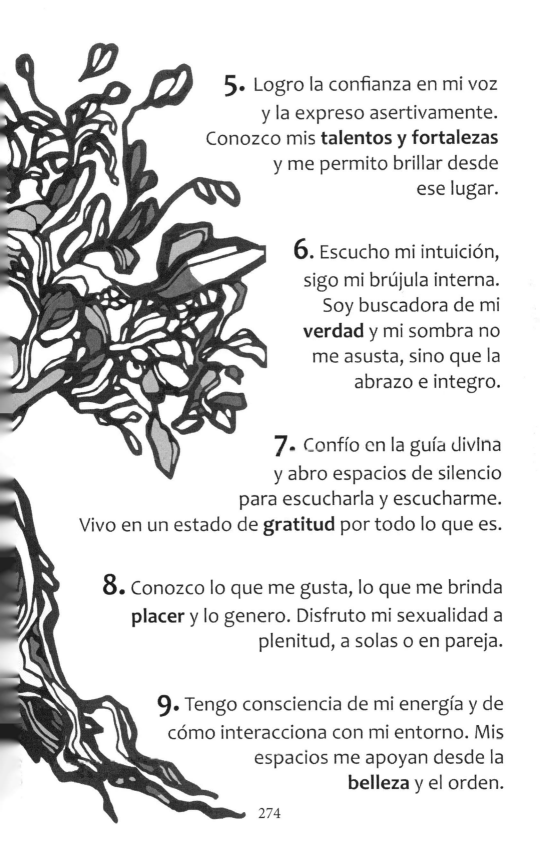

5. Logro la confianza en mi voz y la expreso asertivamente. Conozco mis **talentos y fortalezas** y me permito brillar desde ese lugar.

6. Escucho mi intuición, sigo mi brújula interna. Soy buscadora de mi **verdad** y mi sombra no me asusta, sino que la abrazo e integro.

7. Confío en la guía divina y abro espacios de silencio para escucharla y escucharme. Vivo en un estado de **gratitud** por todo lo que es.

8. Conozco lo que me gusta, lo que me brinda **placer** y lo genero. Disfruto mi sexualidad a plenitud, a solas o en pareja.

9. Tengo consciencia de mi energía y de cómo interacciona con mi entorno. Mis espacios me apoyan desde la **belleza** y el orden.

274

Bibliografía

Aron PhD, Elaine. N. (1997). *The Highly Sensitive: How to Thrive When the World Overwhelms You.* New York, NY.: Harmony Books.

Bourbeau, Lise. (2016). *La sanación de las 5 heridas.* Málaga, España.: Editorial Sirio, S.A.

Darder, Mireia. (2014). *Nacidas para el placer.* Barcelona, España: Rigden Edit, S. L. .

Green, Glenda. (2004). *Anointed with Oil, The Power of Scent.* Sedona, AZ: Spiritis Church Publishing.

Hallett, Elisabeth. (1995). *Soul Trek: Meeting Our Children on the Way to Birth.* Bloomington, IN: iUniverse Publishing.

Hallett, Elisabeth. (2002). *Stories of the Unborn Soul: the mystery and delight of Pre-Birth Communication.* Bloomington, IN: iUniverse Publishing.

Hellinger, Bert. (2001). *Órdenes del Amor.* Barcelona, España: Herder Editorial, S.L.

Lama, Dalai. (2001). *El arte de la felicidad: Un nuevo mensaje para nuestra vida cotidiana.* Barcelona, España: Grijalbo Mondadori, S.A.

Levin, Nancy. (2020). *Setting boundaries will set you free: The ultimate guide to telling the truth, creating connection, and finding freedom.* Carlsbad, CA: Hay House.

Ley, Beth. M. (2016). *Stress Epidemic: Take control of your | life and restore your health.* Hanover, MN: BL Publications.

Lipton, Bruce. D. (2005). *Unleashing The Power Of Consciousness, Matter & Miracles.* USA: Hay House, Inc.

Llinares, Nina. (2012). *Almas Gemelas.* Madrid, España: Editorial EDAF, S.L.U.

Louv, Richard. (2008). *Last Child in the Woods: Saving Our Children From Nature-Deficit Disorder.* Chapel Hill, NC: Algonquin Books of Chapel Hill.

Makichen, Walter. (2008). *Spirit Babies: How to Communicate with the Child You're Meant to Have.* New York, NY: Delta Trade Paperbacks.

Martínez Tomás, Ma. Carmen. (2013). *Ho'oponopono: El poder de las cuatro palabras sanadoras.* Barcelona, España: Editorial Océano.

Meinhofer, Mara. Liz. (2020). *Academia Claridad Financiera.* Retrieved from https://www.financialclarityacademy.com

Mellody, Pia. (2003). *Facing Love Addiction: Giving Yourself the Power to Change the Way You Love.* New York, NY: HarperCollins Publishers.

Menéndez, Olga. (2012). *Lazos de amor eterno: La fuerza del vínculo entre almas.* Barcelona, España: Ediciones Obelisco.

Modi, Shakuntala (1998). *Remarkable Healings: A Psychiatrist Discovers Unsuspected Roots of Mental and Physical Illness.* Charlottesville, VA: Hampton Roads Publishing, Inc.

Molina, Indira. (2015). *Transforma tus Espacios Libera tu Mente.* San Juan, PR: CreateSpace Independent Publishing Platform.

Nelson, Dr. Bradley. (2015). *El Código de las Emociones: Cómo liberar tus emociones atrapadas para crear una abundante salud, amor y felicidad.* Mesquite, NV: Wellness Unmasked Publishing.

Orihuela, Anamar. (2018). *Sanando tus Heridas en Pareja.* Ciudad de México, MX: Penguin Random House Grupo Editorial, S.A. de C.V.

Page, Ken. (2014). *Deeper Dating: How to Drop the Games of Seduction and Discover the Power of Intimacy.* Boston, MA: Shambhala Publications, Inc.

Rodríguez, Luz. (2017). *Me doy permiso para vivir en pareja: Claves sistémicas para la convivencia en pareja, Vol. 2.* KDP.

Roura, Elma. (2020). *El camino al éxtasis: Cómo salir del sufrimiento y vivir en el gozo interior a través del tantra.* Barcelona, España: Ediciones Koan.

Salvat, Marta. (2014). *Tú eres yo: Estudio, desarrollo y casos prácticos sobre el espejo, la proyección y la sombra.* Zaragoza, España: Calidad Gráfica, S.L.

Schwartz, Robert. (2012). *Your Soul's Gift: The Healing Power of the Life You Planned Before You Were Born.* USA: Whispering Winds Press.

Shinoda Bolen, Jean. (2011). *Like a Tree: How Trees, Women, and Tree People Can Save the Planet (Ecofeminism, Environmental Activism).* Coral Gables, FL: Mango Publishing Group.

Simpson, Liz. (2013). *The book of chakra healing.* New York, NY: Sterling Publishing, CO., Inc.

Southgate, Natalie. (2018). *Chakradance: Move Your Chakras, Change Your Life.* USA: Hay House, Inc.

Stanny, Barbara. (2004). *Secrets of Six-Figure Women: Surprising Strategies to Up Your Earnings and Change Your Life.* New York, NY: HarperCollins Publishers.

Tatkin PsyD MFT, Stan. (2012). *Wired for Love: How Understanding Your Partner's Brain and Attachment Style Can Help You Defuse Conflict and Build a Secure Relationship.* Oakland, CA: New Harbinger Publications, Inc.

Wagner McClain, Florence. (2000). *¿Existe la reencarnación?* St. Paul, MN: Llewellyn Español.

Williamson, Marianne. (1996). Our deepest Fear Poem. In *A Return to Love.* New York, NY: HarperCollins Publishers.

Wohlleben, Peter. (2016). *The Hidden Life of Trees: What They Feel, How They Communicate: Discoveries from A Secret World.* Vancouver, BC: Greystone Books.

Tabla de Contenido

Made in the USA
Middletown, DE
05 May 2022

65209333R00163